CRÉPUSCULE D'IMPRESSIONNISTE

IOURI KOUBLANOVSKI

CRÉPUSCULE D'IMPRESSIONNISTE

Traduit du russe par Christine Zeytounian-Beloüs

Préface de Georges Nivat

« Les Passeurs d'Inuit »

In'hui / Le Castor Astral

CRÉPUSCULE D'IMPRESSIONNISTE
est le mille cent quarante-neuvième ouvrage
publié par Le Castor Astral

La collection « Les Passeurs d'Inuits »
est dirigée par Jacques Darras, Martine De Clerq
et Jean Portante.

Logo de la collection :
123rf.com/Viacheslav Giryukov.

Cette publication a bénéficié du soutien
de l'Institut de la traduction (Russie)
et de l'Association Vassily Polenov (France).

Association
Vassily Polenov

ИНСТИТУТ ПЕРЕВОДА

AD VERBUM

jacdar@wanadoo.fr
www.castorastral.com

À propos de la poésie de Iouri Koublanovski

Attraper le sens d'un vers est plus difficile que saisir un hareng dans la barrique. La poésie de Iouri Koublanovski est tout aussi évidente que l'écaille lumineuse d'un hareng, tout aussi difficile à saisir à main nue. Évidente et insaisissable, précieuse, amalgamant l'or et le simple étain, délicate comme un rai de lumière chez le peintre Bonnard, mais grossière aussi comme un trait dans la peinture de Rouault.

Pour le lecteur français de poésie (il y en a, cher Iouri Mikhaïlovitch !) le vers n'est plus tissé de syllabes, ni d'accents toniques, ni scandé comme un alexandrin de Corneille, il s'est mué dans la cornue de notre alchimie poétique, de Paul Claudel à René Char, en un minerai nouveau, pépite d'un volcan caché, où *l'étroitesse du vers*, définie par Iouri Tynianov dans son magistral ouvrage *Archaïstes et novateurs*, n'est plus le corset du mètre, mais un météorite sémantique. Le sens du monde, comprimé dans une gemme hérissée d'angles piquants, inégale, où l'oreille et l'œil russes ne reconnaissent plus l'essence même du dire poétique. Eh bien, symétriquement, l'oreille et l'œil français ont du mal à imaginer cette extraordinaire renaissance de *l'archaïsme* poétique chez les novateurs russes d'après Pasternak et Akhmatova, dont, cher Iouri, vous êtes un des premiers depuis le temps légendaire du SMOG, acrostiche des mots russes « Hardiesse, Pensée, Image, Profondeur » mais dont la somme veut dire Brouillard. Comment revenir au rythme métrique traditionnellement dessiné sur la page, depuis qu'Apollinaire s'en est moqué délicieusement dans *Alcools* ? Car votre métrique, si virtuosement *nouvelle*, et si délicieusement *archaïque*, a conservé l'archaïque corset, mais en lui infligeant des soubresauts surréalistes et des cabrioles moqueuses…

5

Votre strophique est variable, « variable comme l'Euripe », aurait dit Guillaume Apollinaire, si vite tué au combat. Une strophique agile comme un singe, changeante comme les nuages d'un tableau hollandais, lumineuse comme une verrière contenant le monde et tout son quotidien, la culture et toutes ses ruines, comme une architecture baroque à la Gogol, qui n'aime pas l'angle droit, lui dont notre alexandrin classique usait et abusait, ce qui lui valut, après Hugo et Aragon, la cruelle désaffection d'aujourd'hui (avec une exception ou deux quand même). Par distiques comme les petits soldats d'Alexandre Alexeïeff, par quatrains, par huitains, par dizains, vos vers font leur exercice, pas dans la cour de la caserne, mais à l'air libre – trébuchant et sautant sous le battement du tambour ou l'aigre sifflet du fifre. Ils y sont tous, les mètres anciens, le syllabique, le tonicosyllabique, le *dolnik* dansant, et même le marteau-piqueur de Maïakovski. On y avance, dans votre poésie, d'un pas rapide, étourdissant, prestement et cavalièrement, pas comme à l'école hippique de Vienne, mais comme dans la steppe de la jument d'Alexandre Blok. Avec des arrêts intempestifs, des systoles absentes, des marches qui parfois se dérobent sous le pied…

Vous avez mis tant de temps à vous faire chasser de Soviétie, mais vous y êtes parvenu, avec l'obstination non du dissident, mais du poète-dissident. Et vos vignettes poétiques hardiment s'envolaient vers ces nids émigrés, perchés sur nos toits qu'étaient *Kontinent*, avec enseigne sur l'Europe, et le Messager orthodoxe, niché sous un pli de la Montagne-Sainte-Geneviève. Et ces missives ailées accouraient, se moquant des cordons sanitaires, colliers de gemmes, ou colliers de lampadaires, nous amenant un reflet de Pouchkine, un brin de fresque de Pompéi sous la pluie, une gravure de Hokusai sur la rue Arbat à Moscou. Car il pleut dans vos vers à la manière savante des pluies de printemps ou d'hiver de Hiroshige. Et l'on ne sait si l'on est à Moscou ou à Osaka…

Les gravures de Koublanovski, gravures animées, rieuses, pleuvent, s'esclaffent ou pleurent. Prenez cette toute première du recueil, « Chatoura ». 1972, les tourbières brûlent souterrainement à cent kilomètres de la capitale russe, et une vague de suie et d'âcre brouillard, comme la vague de Hokusai, sur Moscou est lancée. La Troisième Rome (ainsi désignée sur ordre du Terrible voici quatre siècles par un moinillon du nom de Timothée) brûle les yeux et pousse dans les refuges et tanières du chez soi. Cette Troisième Rome est refuge des amants, un pollen japonais peut l'envahir, une suie de tourbes lui manger les poumons, le poète et sa bien-aimée, sur leurs peaux d'ours comme dans les légendes populaires, ou comme les Romains avant l'assaut final des Vandales, se vautrent et s'isolent du monde, dans un rêve de froid au milieu de la cendre chaude, un rêve de Nord ou passe la figure du brigand Razine et de sa princesse captive, un rêve de Midi où les amants de Pompéi n'en finissent pas de s'aimer sous le volcan.

Kaléidoscope magique, gravure de la route du quotidien (comme les Japonais aimaient tant à la refaire cette route d'Edo à Kyoto, où toutes les vignettes de l'humain sont rassemblées)... Mais les vignettes de Koublanovski peuvent décocher leur flèche, une pointe de flèche archaïque se fiche en fin de poème, un « nous ! » qui montre le poing au monde entier et à ses sbires. Pointe de flèche préhistorique fichée dans la Moscou-Pompéi et ses figures variées.

Poèmes qui tous sont *adressés*, c'est-à-dire *destinés*. Destination la plus courante : l'amante, la proche, la lointaine, et puis nous, nous aussi, qui recevons ces flèches. La bien-aimée repart à Paris, déjoue les sbires de la douane, le poète se retire en son repère d'ours, devenu réduit de cafard. « Mes vers sont périssables », pense-t-il, ayant tout perdu, mais il faut lire à l'envers, dans le miroir : mais non ! les vers au contraire sont impérissables, et jamais périmés...

Ces vignettes magiques sont des tableaux des « petits Hollandais », comme on voit à l'Ermitage ou au Louvre (précisément dans des petites salles). Mais aussi des échos venus de Colchide, des remous de *Vagues* de Pasternak, des clins d'œil de gamine à la Degas, des faux pas sur le sentier des chèvres de Somov. La terre sent l'ocre géorgien, ou le brouillard de Monet, on se croirait à la gare Saint-Lazare, pas la vraie, la plus vraie encore, celle du maître impressionniste.

Les peintres de l'Âge d'argent aiment aller à Versailles, comme autrefois, pour y apercevoir une marquise, comme Somov, un ballet féerique, comme Benois. Et, enfin exilé dans Paris, où le factionnaire soviétique l'a envoyé (« C'est ça ou l'inverse, Paris ou la Sibérie ! ») –

7

et le poète se rêve dans la longue suite des Européens qui ont fait leurs nids dans les marronniers de Bougival ou de Chatou, sur l'île des impressionnistes, ou dans un rêve de Vendée vengeresse (comme Marina Tsvetaïeva, bien sûr).

Regarde donc Paris de haut. Voici deux siècles –
Nous y faisons les poches aux étrangers.

Sur quelle chimère de quelle tour Saint-Jacques le poète russe est-il donc monté pour le prendre de si haut ? En 1815, c'étaient les garces de Paris qui faisaient les poches des Cosaques qui, gentiment, occupaient les Champs-Élysées. Mais qu'importe qui fait les poches de qui ! Koublanovski a peur qu'on lui fasse les poches de sa langue ! Il craint de perdre sa langue maternelle-paternelle ! Car il n'en connaît ni veut d'autre ! Eh bien, pas de crainte à avoir, Koublanovski ! Elle est indélébile, votre langue russe, qu'elle chante les recoins de Paris ou les bouteilles tressées de paille des Chianti, mais sa marque est toujours là, la peau de l'ours personne ne la prendra, et où qu'il soit le poète restera : russe d'âme et russe de « gueule de bois » !
Plus amer est le vin, plus douce la gueule de bois !

Le premier recueil de Koublanovski parut en Amérique, passé en contrebande, et le contrebandier qui le présentait était Joseph Brodsky, qu'il ne connaissait pas encore. L'un chantait la Tamise ou Venise, l'autre Paris ou la Tauride, mais tous deux sont des virtuoses de ce qu'on appelle en pédant jargon l'*ekphrasis*, la *représentation* vivante par le verbe du volume, du minéral, de la bataille, bref de l'*être* – Sein et Dasein...

La métamorphose du quotidien, ou la contrebande de l'art, c'est la pomme rose-violette de Cézanne « avec ses irrégularités de forme » : voilà l'idéal. Ceci n'est pas une pomme, ceci est bien plus qu'une pomme ; ceci est une lettre non postée, jamais partie, et toujours arrivée.

La poésie, en somme, est pomme ou lettre. Elle est art de cadrer, de raccourcir, et les raccourcis de Koublanovski sont frappants, sans donner dans le haïku ou le fragment volontaire. Ils s'ouvrent comme des vasistas, et l'air s'engouffre, froid, le plus souvent. La carte postale part de Paris et file vers Moscou, *Moscou l'hospitalière*, qui attend les pas du fugitif européen. « L'eau du Styx va monter, qu'on ne saurait écoper ! »

8

Quel Styx l'audacieux va-t-il franchir ? Le Styx d'une autre langue d'Europe ? Que non ! l'acrobate Koublanovski peut monter haut dans le chapiteau de son cirque verbal, sauter d'un anneau à un trapèze, il risque tout, sauf d'y laisser sa langue russe. Les Manon Lescaut peuvent l'aguicher, les Bastille menacer de l'embastiller, aucun ciseau de tailleur ne viendra le découper pour faire un autre costume.

Étrangement, nous le voyons partir rendre visite à Port-Royal des Champs. Connaît-il toute l'histoire tragique de ce « nid de jansénistes aux abords de Versailles », dont Louis XIV fit raser la dernière pierre, et même déterrer les morts, comme nous montre Sainte-Beuve dans son saisissant ouvrage sur ce Pompéi de la mystique religieuse française du Grand Siècle… Pourquoi le poète russe est-il allé voir les fantômes des « messieurs de Port-Royal », Blaise Pascal l'aurait attiré ? Ou bien est-il allé s'accrocher au chèvrefeuille de ce coin de Bièvre, par amour de Mandelstam ?

La vie est là, dans l'énorme besace de la mendiante, plus riche que les plus riches, parce que la vie est Verbe. Et le Verbe, dont Paul Claudel parle trop, quoique si magnifiquement, affleure chez Koublanovski, mais à peine, à peine – battement du cœur souffrant ici, dérobade pudique là. Une lettre du père Florenski, ce savant de l'Âge d'argent enterré dans le froid monastère-prison de Solovki apporte le souffle du Golgotha. Un vent emporte nos âmes, comme des bébés emmaillotés, momies-poupées que nous montrent tant d'icônes de la Russie du Nord. Un silence, parfois, survient dans ces vers qui savent si bien rire, peindre, animer, pleuvoir ou tonner. Un silence « sonorisé par un aboiement ». La vie, un aboiement, une pomme, un reflet d'écaille de hareng…

Georges Nivat

Photo © Gilles Bastianelli, Paris, 2009.

Замкни Всевышнего процесс,
рокочущей с пеной у рта,
Робеспьера с подкупленной челюстью
на телеге везут, что куда,
да два века полмира профукали,
набрели на сфере льды,
кое-как раскисли, разбухли,
похрабрели, залезли опять...

Лишь в ночи, в чьи расщелины узкие
пар смолами запахла соль,
тёплых варваров мальчики русские
поминают марш де Ламбаль.

Crépuscule d'impressionniste

Destin qu'on ne saurait caser dans un jour ou deux,
qui occupe un siècle, beaucoup de siècles.
Tête laborieuse bourrée des fragments
de toutes les interjections répandues en éclats.
Seuls des mollusques demeurent scellés
dans les bouts de roches semi-précieuses,
quand s'effacent de la mémoire, telle une ardoise
sous l'éponge, des années entières.

Comme un aveugle je voudrais les palper,
Sans en trouver courage ni force.

L'eau monte si vite,
qui lançait des reflets métalliques
durant les froids opiniâtres,
pour tourner en moutarde lors des crues,

cognant les pierres brutes envasées du pont
lavant le brouillon noir des feuilles.

... Enfant de la Volga, ma vie fut un exil,
confondant l'oméga et l'alpha,
tantôt, ensommeillé, je trébuche sur le globe,

et tantôt je prends mon élan.
Dans le crépuscule où se reflètent
les premiers feux, je suis ce vieil auroch
que tu rencontreras en sortant de tes cours
du pavillon de l'école du Louvre.

Avril 2008

Chatoura – 72

I

L'enfer de la troisième Rome :
Chatoura brûlait sans retenue,
des carassins dans la tourbe nageaient ;
Terres transvolgiennes et Tver comme du bois craquaient,
et nous dormions tels les derniers Romains
sur les peaux de l'ursine Russie.

Nous rêvions de l'anse glacée du fleuve,
de navires chargés au-delà des nuages,
de la trace argentée du son à réaction,
de toutes les brumes de notre terre.

... Quand tu courais à la cuisine chercher du pain,
brandissant une menace de mort par inanition,
quand couchée en larmes sur mon épaule,
je pensais qu'on ne saurait être plus proche.

Où la fontaine lave le modèle de la nature
du jet de ses yeux de bronze
pourtant ma Parisienne oublia Chatoura
qui nous étouffa durant cet autre été.

II

Chatoura sous les murs de Moscou
Fumait en tison cramoisi.
Le pelage des bois crépitait
et le sol se muait en chaux.

... Quand dans le quartier d'Izmaïlovo
un smog brûlant hérissait ses volutes,
nos lèvres desséchées
prophétisaient l'inaccompli.

Alors déjà les larmes nous gênaient
pour scruter l'avenir en détail.
Ainsi la canicule amasse la moiteur
de la terre en orages d'aurores.

Par quelles voies secrètes
échoua-t-elle un jour ici,
où la tourbe brûlait en strates,
où les poissons crevaient de soif ?

Que la Pompéi de Chatoura
cache donc l'empreinte de nos étreintes
dans la cendre, tel un trophée,
comme si tout avait un sens.

1976

Pensez donc combien de forces vives
et de chagrins investis à l'avance !

Enterrés et désacralisés,
Interdits désormais d'entrée.

Et que de mots répétés en larmes
dans chaque trait, chaque regard !

Oublié, à côté de la cible,
tout est resté je ne sais où.

… À quoi bon la fonte des congères,
les bleuets desséchés dans les blés,
les aboiements des chiens de garde,
les papillons qui cognaient aux vitres ?

Parmi tant de feux emphatiques
nous n'avions pas encore appris
qu'il y a beaucoup d'appelés, peu d'élus
pour coïncider avec un monde ou l'autre.

Nous écoulant avec les fleuves,
escaladant les collines,
du sel nacré sous les paupières,
comment aurions-nous pu croire
que nous étions à ce point éphémères ?

1976

Sous la pluie
Sur l'Arbat

1

Pluie froide et pluie. C'est ennuyeux et beau.
Un pollen japonais dans la fleur putride de Moscou.
Des parapluies multicolores... Impatiemment,
tu tentes de l'ouvrir, hélas, il est coincé !
Mais sous le porche une oasis de sécheresse grise :
nous nous hâtons, comme des justes vers le paradis,
comme si de nos âmes friand, en kimono,
un samouraï dentu avait brandi sa faux.

2

Dans une obscurité déjà bien concentrée,
et couic : hara-kiri, couic l'Arbat... et ses hôtels particuliers...
Sur la main de ma bien-aimée laquée de smalte mauve
je poserai mes lèvres, brûlerai mes yeux.
Tu refuses les taxes payées en poèmes périssables,
ton imper blanc prend l'eau, ton papillon de parapluie
à l'aile collée ne vole pas bien haut,
ne nous entraîne pas au trot à travers les ruelles.

3

Il y a tant d'années que tu as déjà vu
ce que beaucoup n'ont jamais contemplé qu'en rêve :

vêtu de gris et de bleu pâle,
l'Orient débarquant à Moscou et célébrant victoire.
Il a mangé du riz au creux d'un bol précieux,
torturé un brigand avec les aiguilles de l'aube
derrière un paravent de soie...
Maintenant n'attends pas de faveurs,
à quoi bon regarder ton parapluie cassé.

4

Tout de même un bon tiers du globe est libre encore :
la carapace américaine est dure.
Un bus vide nous emmène à Cheremetievo
dans de hauts fauteuils sans feu.
Oubliée depuis longtemps, trempée jusqu'à la moelle,
adieu, adieu, adieu !
quand la douane éventrera tes bagages
et qu'en passant ils ouvriront ton parapluie.

5

... Tu te retrouveras à Paris sous un marronnier,
une fois sèche, tu t'envoleras vers le luxueux Washington
où tous les sénateurs sont de vrais bons vivants.
Moi, je regagnerai mon réduit à cafards,
dans la prison des despotes orientaux...

Là-bas un Gatsby doucereux se balade en bayette blanche,
l'épaule d'une lady frémit...
Pour moi du thé refroidi, un bout de pain de la veille,
les chefs qui s'engueulent, des pensées vides.

1976

Les amies

I

D'une enveloppe je rêve à nouveau : lettre tant attendue,
dont le coin exhale encore son parfum ;
Impalpable, elle chuchote sur ma paume,
sur une demi-page se cristallise sa calligraphie.
Photo minute : avec l'amie en imper,
nuages pervers de ses yeux ;
une pince gothique couleur mauve pâle...
Ah, mais qu'était-ce donc entre vous au juste ?

Tu aurais mieux fait par exemple de me raconter
l'araignée tissant perfidement sa toile
sur les griffons musclés et les chimères souples
aux regards révulsés
dont la cornée sculptée conserve Paris,
alcôve inaccessible à la plèbe,
avant que ne tombe des toits roses, –
comme si tu t'agitais encore au seuil du rêve –
la pluie des coups de pinceau du grand maître.

II

Dans la moiteur de sa bouteille tressée l'acidité du vin
répand un si puissant bouquet
que dans l'ombre violacée papa Maigret –
cheveux blancs et visage charnu –

n'en détache pas son regard perspicace.
À croire que je suis un escroc patenté
et que je vais devoir le payer cher
sur l'heure, encore pourtant matinale.

... Je contemple le câble au reflet perlé,
et sur le sable une tache de mazout.
Monsieur le commissaire, je suis coupable
d'avoir volé ce port à Marquet.
Mais c'est sans mon concours que l'ont soudain peuplé
le mollusque près du mur visqueux,
le rire titillant des amies sans vergogne
qui surgit de la vague tombante.

1981

Dans le vieux combiné exhale sans obstacles
sa foi, son malheur,
ta voix, notoirement désirable,
tendrement gutturale,
elle s'éveille, s'endort à nouveau
vole vers moi.
Je veux entendre clairement son verbe
parmi le criaillement général.

Sur mon visage éteint sont visibles
dans la pénombre du matin
depuis deux mois déjà
les plus grises des cendres.
Rien qu'absurde fatras dans ma boîte
crânienne, hélas.
Après un demi-litre de vodka,
le vent me décoiffe hardiment.

Dans mon fauteuil grinçant
où ma leçon m'échappe,
je sursaute
quand j'entends sonner,
si brusquement,
avec inconstance,

et ensuite ta voix
notoirement désirable
que j'ai poignardée.

14 novembre 1982

Ce qu'il roucoule je n'y comprends goutte,
l'européen pigeon,
le vent bruit derrière mon épaule...
Que ma vie respire où elle veut !

J'émergerai de mon hibernation, portant jeune,
sur un banc d'avant-guerre,
je ferai sauter dans ma paume en riant
la monnaie du kopeck local.

L'hiver d'ici d'ailleurs ne fait pas peur :
on n'a pas froid aux mains, le cou ne gèle pas.
Et de loin la poche des badauds
réchauffe les brillants affairistes.

... Quand avril surgira soudain,
constatant que tout est fini,
j'écrirai quelques mots à ma mie
à Soudak ou à Koktebel :

« Où grommelle le ressac verdissant
galets et roches familières,
glisse donc toute seule sans moi
dans la strate de l'eau fugitive. »

Et de crainte que le facteur
ne me remette de force la réponse,
je vais plonger comme un triton
dans le brouillard profond de Paris.

1982

Trois poèmes (Neim)

I

La ramure de l'érable
dans la pénombre a fini de brûler,
ne survivent que quelques taches
sur une terre étrangère gauchisante,
noyée de verdure,
qui nous aveugle par les fentes de ses persiennes,
tantôt dans l'antique crevasse
nous nous recroquevillons parmi la boue verdie,
tantôt le profil calibré du canal sans fond
sous le pont nous entraîne,
où sur le bec d'un cygne ensommeillé
pousse une bosse osseuse.

4 mars

II

En avril, à la cassure des jours,
je verrai, m'endormant au loin,
notre périple en chapeaux de paille
à midi de la plage de Soudak

par le sentier tordu au pied de la montagne
vers la cabane en terre battue de Bruni.
Comme une noire musique,
ces derniers temps
j'entends dans les branches grimaçantes
des râles sur le dernier refuge...
Tels des nids russes y sont jetés
des amas épineux de gui.

6 mars

III

Les étoiles du sud sont enrobées d'un givre
familier, mais
j'ignore leurs noms,
car ils sont tous étranges et singuliers.
La seule chose qui me console :
je n'irai pas semer ni moissonner sous elles,
seulement me coucher sans hésiter dans une fosse noire,
victorieux dans mon ignorance,
oubliant franchement mon vocabulaire,
comprenant qu'*il n'y a plus rien*
à dire à travers une caisse vermoulue.

8 mars 1983

Les pattes usurières des érables
agrippent la pénombre de Paris,
Peu probable qu'ils soient rentables,
les rêves des asters ébouriffés d'à côté...
La nuit dans une tanière laquée je vide
ma coupe d'une profonde goulée
pour tendre enfin ce briquet
bien réel vers mes vers somnolents,

et je vois, à travers un halo jaune,
un hérisson dresser ses piquants de néon.
J'aime et je hais deux fois plus
l'étrange rapine de l'Europe.
Dans ce bar sombre la serviette tachée
paraît si familière par moments,
à croire que l'assassin et victime Robespierre
en banda sa mâchoire avant l'échafaud.

... Comment ne pas songer à mon antre natal
où depuis longtemps moisit
sur le tyran ceint d'une toge
le cuivre russe muet.
Plutôt que de le voir de sa dextre fatale
indiquer aux aigles leur proie,

en renard avisé au sein d'un poulailler
mieux vaut se transformer.

1983

Ce n'est pas la neige russe qui étouffe le clairon
le recouvrant jusqu'à mi-poitrine,
mais la guillotine : d'un sifflement
prophétique elle souhaite bon voyage aux têtes.
Pas une feuille de bouleau au sauna qui colle
à la main qui tient un petit seau de bois :
le leader despotique en turban de toile
est mort à son poste tout nu.

... L'écho blessé parfois au-dessus des bosquets
multiplie à ce point ses appels
que les nôtres n'ont plus le cœur aux luges,
aux carêmes et aux koulibiacs.
Seul l'aïeul se cachera sous la peau de mouton,
se souvenant encore de Pougatchev,
et l'arrière-petit-fils saisira son gourdin dans le noir
pour assommer l'intrus d'un coup franc.

... Saupoudre de sel les vieilles blessures,
regarde donc Paris de haut.
Deux siècles nous avons fouillé des poches étrangères
jusqu'à n'y trouver que peau de zébi.
Plus le vin est amer, plus douce est la gueule de bois.
Plus il est mauvais, plus conciliant sont les discours.
Dans le bosquet gothique semi-végétal
essaie de préserver ce que tu es.

12 octobre 1983

Le prince en costume bleu d'apparat
serre une canne sous son aisselle négligemment
dans la forteresse précaire de Versailles,
tandis que s'égosille déjà
un mécréant dans Paris tout proche,
persuadant chacun que le temps presse,
et le traceur de plans vante à l'avocat
les mérites d'un tranchoir mécanique.

Pauvre petit Louis, fils de Louis,
comme il fait rouge dans les miroirs !
Ce n'est pas ton métier, mon prince,
ces histoires de cordonnerie
qui puent la soupe à l'oignon, ni
de courber l'échine et d'insulter Dieu.

En dépit de tout, à la dernière marche
je serai encore de ton côté.

1983

Parmi les châtaigniers aux larges troncs couverts d'escarres,
cent fois battue, elle est impossible à briser,
ta noisette dans le mortier d'Europe,
Paris aux terrasses ombrées de stores cramoisis !

… Loin derrière le ravin de Pskov
dans l'aveuglement d'une longue bourrasque
je me souviens d'avoir après coup pleuré
sur chaque pavé de tes barricades

et l'insouciant déjeuner sur l'herbe.
Mais maintenant, selon le droit des gueux,
j'ai moi-même rejoint la troupe mal famée
de ceux qui ne sont plus touchés par ton destin,

et je ne sais pourquoi je m'attarde au comptoir,
tel le dernier des graphomanes patentés,
qui décide soudain de prolonger sa beuverie
après avoir retourné ses poches.

15 octobre 1983

1

Le vieux fort de mûriers
de talus en ravins –
tout sucre et tout piquants –
est envahi à perte de vue.
Bastions et bonnettes
au-dessus de la houle,
embrasures et brèches,
fidèles aux condamnés.

Pour nous, traîtres, enfants
et noblesse vaincue,
becqueter les mûres
n'est pas un doux festin
dans la plus sombre allée
de la forteresse Vendée
à jamais tombée,
qui semblait inébranlable.

Quelque part, en dépit
peut-être de notre audace,
les étendards sentent la poudre
et les hampes, le cyprès,
et la frontière, le fer.
Qu'elle est loin, aujourd'hui,
la capitale de cendres rouges
qui nous a laissés filer !

Sur une marche de pierre,
usée par les pas,
les ombres des mûriers
virent au bleu
qui fond sans traces
dans la brume tardive du soir
où nous devenons indistincts,
toi et moi.

2

D'une paire d'ailes solides
en toile, de Léonard,
l'aviateur se munit.
Le châtaignier laisse tomber
juste dans l'alvéole
de la marche de pierre usée
sous les ombres vertes
son fruit châtain.

Dans le reflet huileux
et lustré sur sa coque,
le ravin qui s'évade
sous nos pieds du sentier,
et l'homme qui plane
au-dessus de nos têtes
(si semblable au tableau
sur le mur du musée,

axes formant la croix
d'une carcasse ailée) :
l'automne européen
qui nous épargne !
Réserves de courage :
la penderie de cyprès,
dans les drapeaux rigides,
pareils à des chasubles,
des graines d'antimite,
comme neige de Kalouga.
On croit entendre
une corne au son épais.
Aux hordes d'enfants gaulois,
la Russie accorda son pardon.
Avant de s'appauvrir au point
que nous pleurons sur son sort.

3

Dans le lit jaunissant
du fleuve qui s'assèche
où hérissaient leurs emmanchures
et émoussaient leurs lames
des barbus cabrant
leurs chevaux en sueur
et faisant les yeux doux
par dessous leurs chapeaux,

les brumes se stratifient.
Çà et là seulement

des châtaignes martèlent
les allées pierreuses.
Dans la cave sous le linteau,
où l'inventaire s'imprègne

de cyprès dans le placard,
le soleil perce aussi.

Là, ce n'est soie ni feutre
dont montent les effluves :
le sorbier sous le vent
notre mémoire honore
au carrefour des routes
de Smolensk et de Kalouga,
nous autres, gars du pays,
qui méritons le fouet.

L'infanterie gelait.
Accoudé contre la clôture,
le gouverneur lui faisait signe
de son bonnet de sans-culotte.
À son gré l'esprit nous dispose,
tant qu'Azraël n'a pas
usé contre les remparts
ses ailes léonardesques.

Octobre 1983

Les bateaux

Vétustes bateaux à l'attache éternelle
près des saules flétris,
on dirait la Volga... Mais en liberté
chaque remorqueur chante d'une voix de basse.
Et tu oublies les faussets
des quais en demi-cercle
qui agacent les dents comme des merises,
figeant des pommettes presque tchouvaches.
S'égrènent seulement vers les sentiers secrets,
des sommets dans la combe,
les crêtes jaunes et roses d'Europe
près des portes du Luxembourg,
et foisonne en poussière la rouille,
telles spores fécondes,
dans le coin où cigarette aux lèvres se languit
une dame en bas noirs.

1983

Surplombant le Châtelet, où durant
l'automne on a rudement jeté
sur la paille d'une aveugle cellule à rats
la martyre Manon,
pousse prestement moulé
dans l'enfer, bien à chaud,
un nuage lardé d'électricité
par un rayon chérubique.

Intrigant contrit
au sang d'un bleu douteux,
un pinceau de nacre
a œuvré sur toi
et tes haillons de mousseline.
Paris aux pavés sonores,
aux tréteaux de guillotines,
aux odalisques adolescentes,
est pudique et dévergondé.

……………………………………

Il se peut, éternel débiteur
de ta caresse épuisée,
réciproque et si généreuse,
que je la redécouvre sans cesse,
et me montre plus souvent
aux faces méconnaissables,
tête lustrée, gueule d'ours,
bête et chasseur à la fois.

1983

Deux cartes postales

Si la date avec la crasse se confond,
le caprice d'une fioriture
interpelle : « Mon cher ! »
Et c'est donc *de là-bas*
où repose un silence grinçant
sous le glacis d'aiguilles
qu'à nouveau tu tentes
de revenir en imposteur.

Attendrai-je encore, sous la chute
de feuilles étrangères comblant les sentes,
immobile, que roulent
les pierres européennes
ou, rendant chaque pouce de terre
d'abord sans rien obtenir,
faudra-t-il réessayer
de marcher sur l'hospitalière Moscou ?

… Je trouverai une carte :
bordant la pénombre d'un ravin,
une chaîne de monts dorés,
salamandre et licorne.

Pour aveugler le censeur,
pour que les facteurs se brûlent les doigts,
entre les agrafes fatales
laissant passer l'offrande.

1983

Chimère

Loin au nord, à Paris,
Le ciel est peut-être couvert de nuages,
Une pluie froide tombe et le vent souffle.

Pouchkine

L'intempérie de novembre ride
les phalanges des branches.
Parmi les pierres élimées,
on la remarque de loin :
comme victorieuse,
la chimère hérisse les flancs.

Les mites n'ont pas encore
rongé toutes mes affaires
en Russie où notre chemin
est poudré de gros sel,

mais depuis une année,
puis-je parler une langue étrangère,
quand, tel un tissu sous la lame,
la mienne est coupée de moi ?

L'eau du Styx va monter,
qu'on ne saurait écoper,
alors seulement pourrons-nous
peut-être nous reconnaître.

Les châtaignes roulent
sur le feu vert et pourpre
du réchaud lumineux dans la nuit,
qui de jour semble tout rouillé.

Aussi pauvre notre séparation
qui brûle pourtant si clair !

1983

Selon l'héraldique

Où que je me tourne,
toujours, l'aile transpercée,
je crois voir une oie,
même si le chasseur dont l'armure pèse une tonne
sonne creux d'inhumaine façon,
une pichenette et l'écho se répand
sur le lac des Tchoudes,
en ricochet revient sur le Rhin.

*

Le sanglier aux sérieuses défenses
dont les flancs ont des reflets de cuivre
prendra la clé des champs,
montrant sa queue à l'interjection
panslave « oh ! »
Court-vêtue, ne crains rien, ma mie :
personne n'entendra
combien de voyelles à l'arrivée se taisent.

*

Le raglan est imperméabilisé,
la gloire n'est pas pillée jusqu'aux frontières
des pays atlantiques.

La masse vaporeuse des eaux majestueusement
de toute sa hauteur se dresse.
Et sur le pont glissant, ou peut-être
sur la toile gondolée,
atterrit un poissant sanglant.

*

Et partout où le regard se pose :
avec crainte sur les murs sculptés,
sur les flammes aiguës des fenêtres,
toujours une salamandre
montre les dents. Qu'il faut sur le blason
installer seule ou par paires,
somnolentes sur la pierre du destin,
dansantes sous les yeux en cas d'incendie.

*

Les aiguilles soudain menaçantes
sur le blason du porc-épic
nous incitent à la peur,
hérissées au possible :
sur son panneau ouvragé,
le tétras voudrait l'impressionner.
Mais l'animal de raison dépourvu
n'est jamais plus terrible que l'homme.

*

Condamné à mourir
parmi les pointes pierreuses des arabesques.

Mais un ours agitant
sa hache m'appelle chez lui :
« Viens par-là boire un coup. »
... Afin, non loin de la Volga
se couvrant de bardane,
d'éviter toute fausse rumeur.

1983

I

Dans le fort envahi de ronces aux baies mûres,
Au fond de pavés sonores,
à la Dormition, entre deux roses, Blanche et Rouge,
les amis, l'Europe est en feu !
Aux tours en cors de cerf,
agrippant les herbes ouvragées des murs...
Des mirages de scènes sanglantes imprégnées de vin
soudain font irruption dans la réalité.
Une fille naïve a saisi pour de bon
le taureau par les cornes,
la tempête faisait rage sur l'abîme froid,
les nuages allaient déferlant.

Europe, tu dors sans le moindre oreiller,
soumise à ton destin de femme.
Et seulement au nord des âmes mortes
te restent encore fidèles.
Un grand seigneur renaissant, sur ses étriers
dressé, dirait-on, joue du cor,
troublant les étendues de Kalouga
par sa seule prestance incongrue.

II

Dormition entre deux roses, Rouge et Blanche,
pendant que le cheval noir,
sautant l'obstacle d'une poutre calcinée,
faisait jaillir une étincelle du pavé.

Nous te plaignons, cavalier tardif
en bottes fortes aux genouillères hypertrophiées,
tu n'aurais pas dû piétiner les vignes trop mûres,
balayer la nature-morte d'un coup de gant,

où grenade et chou demeurent magnifiques.
Seul quelqu'un dans les tréfonds nordiques
appelle, en dépit du noir et du vide ambiants :
les amis, l'Europe est en feu !

Europe, ne devrais-tu pas connaître
tous les noms de tes fils impies ?
Qui amoureusement attendaient ta venue
parmi la pénombre des steppes...
Telles des haies, les frontières dans la boue
tomberont. Ton voile vétuste flottera
triomphalement comme le saint suaire
au-dessus des têtes assagies.

1983

On a remplacé le Très Haut par une hérésie
démontrée l'écume aux lèvres,
promenant Robespierre, les dents bandées,
en charrette comme un bouffon.
En deux siècles on a dilapidé la moitié du monde,
et perdu la vieille orthographe au nord,
on a plus ou moins pigé les choses, à vue de nez,
viré à droite, de nouveau trop bâfré...
Ce n'est que dans la nuit, dont les fentes étroites
au-dessus des neiges sont soudées à l'acier,
que des garçons russes boivent de la vodka tiède
à la mémoire de Madame de Lamballe.

1983

Dans les Alpes
Stances

Je voudrais repartir avec toi
derrière le repli alpin,
le tourbillon de sa crête,
pour me requinquer de je ne sais quoi.
Pour qu'avec l'azur des hauteurs
la terre alentour s'interrompe,
que le vent fasse battre nos basques
trop maigres, les gonflant en voiles.

Étrangers, nous respirons le souffle
étranger d'une luxueuse bourrasque.
Notre propre cour est inamovible,
avec achat et vente de coussins,
seulement à deux heures et quelque –
vision d'une aile flottante
propre à faire bâiller les mortels –
en vol d'avion.

Toi, dont la jeunesse est restée,
perle dans le ventre d'un poisson,
inutile, inaccessible,

en ce trou perdu près de Toula,
tu ne peux plus tirer en cachette

sur les fils usés de ta moufle
qui chasse d'un panneau enneigé
une ombre de mésange d'après-guerre.

Trente-cinq hivers, vécus
sous un cosmos d'échantillons luisants,
sont enterrés, au chant d'un séraphin,
depuis qu'une porte matelassée de feutre
a raccompagné mon départ
loin du natal hivernage,
où mon chevet est désormais froissé
par quelque nuque inconnue.

Est-il donc facile d'y revenir
en hâte et dépourvu de corps,
croyant en l'hypostase
dans sa solitude cruciale ?
Elle ne saurait rester rouge
et vermoulue sur l'envers,
cette terre dont la dépense est claire,
à la longue crinière de nuit.

1984

Collines de Lorraine encore hivernales...

Collines de Lorraine encore hivernales
jusquiame parmi les aiguilles de pin.
La monnaie du soleil dans le feu
d'argent sombre est glacée.

Cahots transeuropéens qui viennent
déporter des ténèbres cintrées
vers le rêve le dénouement manqué
de ma vraie rencontre avec toi.

... De loin, où la membrane est sombre
du crépuscule dans les arbres gris,
où jaillit la piqûre de Bengale
de tes fidèles princesses de neige,

le courant soudain remonte à la surface
un banc de poissons adolescents.
Et se déchaîne le tourbillon
de mon cœur, tant que je survis.

On dirait à l'école jadis : une craie
serrée dans ma main moite,
tandis qu'en cachette je prête l'oreille
à ton discret chuchotis.

Mars 1984

Printemps en Gaule

Le chèvrefeuille avide s'agrippe à chaque
tronc couvert de glorieuses rides,
en humides fils de pêche,
dans les taillis de Saint-Cloud.

Ce nid janséniste aux abords de Versailles
revit et verdoie soudain.
Comme un appel évoquant mon pays
passe entre les arbres, fugitif.

Emplissant la cornée, germe
un sel soudain dessalé.
À la fois mendiante et richissime,
la vie en langage se refond.

Je le sais bien, j'étais un mauvais maître,
comme il est d'usage *là-bas* :
je l'ai allègrement gâchée dans les faubourgs,
mouillée et transie à la mer,

pressurant de la rame au-dessus du tolet
mon cœur battant à claire-voie.

… Désormais, dans une solitude surpeuplée
où s'épanouir paraît difficile,

où seul sur la fosse scellée de granit
du genêt brûle le feu froid,
elle a droit au discours confus
de quelques lignes de pierre.

1984

METAMORPHOSIS

Se peut-il que mes diableries
me soient pardonnées ?

              I. L.

Entre chaque station,
champs et talus :
tout le nord de la France
est couvert de colza,
ses vagues citronnées
risquent l'écrasement
de cent tonnes d'orage,
qu'il en soit donc ainsi.

C'est ce qui arrive
quand ta propre terre
change et qu'à ta poitrine
vient frapper la douleur.
La toile déchirée
d'un éclair nitescent
me fait voir des racines
et diverses tiges.

En marmotte agitée,
en lent ver de terre,
je reviendrai encore
en Russie, un jour.
La bise ébouriffe

le feuillage mûr.
Ainsi en sera-t-il,
car je l'ai décidé.

Et je traverserai
le lac à toutes rames,
pourfendant les flots
avant la fin d'automne.
Gardon avec une frange
rouge sous les branchies,
j'empoignerai la houle,
pour rentrer chez moi.

Je paierai une peau d'écureuil
de ma liberté,
ou plutôt de quelques pièces.
Ou mieux, à tire d'ailes,
en corbeau colérique
je me poserai sur la lisière
et me tairai. Perdu et froid,
je suis déjà joyeux !

14 mai 1984

Terrible chose que les lettres du pays !
Nuit après nuit, tout y implore,
jusqu'aux espaces entre les mots crispés,
d'agir, d'apporter de l'aide.

Comme un cierge vers l'icône sombre
d'une main soudain raffermie,
il est temps de porter un peu
de rides d'eau volées dans un désert de neige.

Nous avons contemplé les pins de Rome,
et ceux en crêtes dans les feux alpins.
Au printemps, dans la brume des abricotiers
je parvenais à l'oubli,

mais plus haut la frontière se place,
plus l'insomnie incite à nouveau,
devenu un oiseau de cendres,
à survoler la lisière des bois,
où les tombes n'ont pas encore refroidi,
de captifs non recensés, mes forces
sont calculées dès les origines,
les si faibles ailes de mes forces.

1984

De la custute pulvérulente
les tiges en fil incassable
étouffent dans tout le sous-bois
les saules violets à moitié noyés.
Sur les collines les feux d'avril
sont des calvities de fumée dans la cendre.
Jadis, transportés
vers Koktebel, aveuglés,
nous dormions dans les cahots du wagon
après la bénédiction offerte
par le soleil en masque de fer
de sa propre éclipse.

Les flammes des genêts chassent
sur le gravier un vent juste vers son but.
Notre âme n'est plus une âme en ce moment,
mais un refrain dans son corps
en mouvement ou étendu,
attendant des nouvelles de chez lui,
méritant inéluctablement
une vengeance exemplaire et preste
des aspics acheiropoïètes
qui bondissent de leurs corniches
et déchirent les filets et les rênes
du paradis gaulois.

Mars 1985

Du côté de chez Swann

1

Dans les mansardes parisiennes qui dégringolent des toits
les jeunes potassent consciencieusement :
si tu bas des ailes, tu voles,
si tu respires par des branchies, tu nages
et tu appelles chaque branche par son nom,
dont les épines percent ta poitrine dans le jardin
près de la cathédrale aux allures de chantier naval
où tu embarques pour un voyage vers *l'ailleurs*.

Le jaloux résigné qui fait irruption
dans une maison où nous sommes aussi chez nous
non seulement se hâte d'insister,
mais exige encore plus. Et tombe
le turban de sa crinière lavée
sur un tas de châles persans.
Une chiche châtaigne à coque carbonisée :
tel est le cœur de ces miséreux.

On peut dire que tout gamin chez les ours blancs,
en une année dont j'ai perdu le nom,
feuilletant à doigts chauds un gros tome,

j'ai appris ce malheur
et le cimetière couvert de genêts taillés.
Désormais nous sommes plus circonspects,

et de la poupe scrutons mieux l'écumante encolure
des vagues grises cinglantes.

2

Un marron brûlé roule sur la grille
vers le cerceau refroidi dans le seigle.
Le turban surplombant fièrement le front
se transforme déjà en bonnet,
et la blouse hâtivement a glissé des épaules
du nu qui saisit la hampe,
quand le porte-drapeau dans les rangs des rebelles
chancelle, inspirant profondément.

Les sacs des barricades forment une alcôve.
Moi aussi presque chaque nuit
je sauvais jadis des papillons
qui des ténèbres dans la sphère astrale surgissaient
au nord-ouest de ma terre natale.
Aujourd'hui que j'allume une poussière mesurée,
dans la cathédrale où dorment les rois
en rangée de grosses chemises mortuaires,

ou le roseau d'un cierge au pied de la croix,
que je surveille, seul sur le pont
largement ouvert au vent,
un remorqueur labourant le fleuve,

je suis sans doute encore ce petit monsieur
de province dont les yeux furent aveuglés
par les perles de famille d'une grisette parisienne
et dont la joue fut piquée de sel.

18 mars 1985

Tension de l'azur
qui précède la nuit en ce printemps roman.
Un leurre dans les airs dérive,
les genêts derrière la clôture sont à l'étroit,
leur feu givré répand un doux parfum.

Surtout ne pas effaroucher les cierges
d'un souffle dans la cale de la crypte noire de fumée.
Des frêles épaules cardinalices
les envolées d'andrinople moralisatrices
peuvent-elles calmer ces craintes ?

... Tranche donc la corde si tu l'oses
pour partir sur le fleuve obscurci
jusqu'aux vagues marines,
jusqu'au bourg qui luit au loin,
entre les pins alignés qui montent la garde.

Puiser de la saumure dans un trou de glace,
entonner un tropaire interdit,
dans un lieu qui m'échappe des mains,
pour glorifier la créature de Dieu vaincue
qui m'est apparentée.

1985

Le pigeon

à E. Schwartz

Dans le caviar pressé des ténèbres feuillues
descend en piqué un pigeon, quelqu'un va-t-il
le relancer en l'air en guise de symbole
d'un emprisonnement qui s'ajuste au cœur ?

Dans la nuit blanche à la colle de peau,
vers les bougies qui soudain fument noir
par l'invite du vasistas ouvert,
comme chez Goya, des démons volent-ils,

que tu chasses du coude,
sauvant le fil de vierge de ton écriture,
mariant l'étincelle à la voie aiguisée du tramway
et unissant le sang avec le sang ?

Nous sommes aussi des oiseaux en papier
qu'a caressés l'ongle de Dieu.
Et nous avons parfois de la plume effleuré
la touffeur des prémices d'orage.

Dernier pigeon voyageur perdu,
tombé dans les lilas devant le seuil :
comme moi tu n'as su le franchir,
endors-toi, assourdi de tonnerre !

Juin 1985

Un jour noir

Chaque jour où je regarde par la fenêtre,
je constate que ce jour est noir.
... Tantôt répandu sur le jute,
tantôt focalisé sur un seul objectif,
le disque assidu de flammes
qui nous inclut irrémédiablement
dans le convoi de son orbite
longuement roule avant de s'éteindre,
des monts couleur d'airelle dans la faille des sapins
de la Thébaïde du nord.

Un Hérode m'a tiré de ma terre
comme d'un berceau
pour que seul à seul au loin,
pareil au moineau nimbé de poussière d'eau,
j'attende une bille de plomb

et, dans un paradis du monde étranger
passant la nuit sur une toile,
je me transporte d'un seul jet
et presse ma tempe de cire
soudain contre ton épaule,

là où marcher revient à vivre
une longue seconde vie,
car soufflant pour chasser les fils d'araignée,
il faut à chaque pas réciter
une oraison nouvelle.

Juin 1985

Van Gogh

En quête de médisances gauloises
pas la peine de chercher bien loin :
de la sombre toile huilée
comme d'une poitrine ouverte
grimace de ses graines mates
une grenade dans une mare de sang
à l'adresse d'un jardin désert
peuplé seulement de mollusques.

Dans les honnêtes immaculées
cellules monastiques au loin,
qu'est-ce qui s'insinue sous
les voiliers blancs des coiffes ?
Le soleil chauffe-t-il
dans les encensoirs de cuir
la poussière des routes colombines
et des vignes abandonnées ?

Le vent feuillette le livre de poche
de Marc et du lion,
souffle dans le tympan
la nouvelle comprimée en mots.

La tâche semble achevée.
Sortant subrepticement une épée,
quelle témérité : couper
une oreille esclave !

Chaque étoile malingre
dans l'étamage du bassin d'hôpital
se transforme en vilebrequin
filant et doré.
Les audacieux sont prudents, ô combien.
Les plus timides vont de l'avant.
En quête de médisances gauloises
pas la peine de chercher bien loin.

1985

Les piérides s'amusent
dans le tintouin d'août,
jouant aux alliées,
en plein soleil on croirait
des guerriers culottés de blanc
en attente de bombes
réfugiés dans les vignes
sur les hauteurs d'Alsace.

Dans les conflits d'Europe
et leur noirceur adultère
qui préserve de la fureur
par sa douce amertume,
je suis un mercenaire,
dont on oublie la solde
qui n'a dans ses bagages
qu'une pincée de poussière du pays.

... Derrière les collines dessinées,
et la frontière des dunes
qui nourrit les oiseaux
de croûtons dorés,
des étendards musulmans sur
les bastions aux gardes aveugles,

les besaces et les crânes
des soldats de Verechtchaguine.

Piérides, vous avez tort
de jouer les jeunes mariées,
captives déchaînées

autour de ma tête.
Aux prémices noires d'orage
ridées de toits d'argile,
la souris laborieuse
est un habile sapeur.

1985

Devant le miroir

Un filet serré brunâtre
de craquelures sur l'amalgame.
J'ai peur de me regarder,
j'ai perdu un tiers de ma raison,
si j'écrivais à ma mère,

j'éviterais d'envoyer ma photo,
au campement des corbeaux
son fils au bord des rivières de lait taries,
serpent qui rampe pour dormir
sous une toile de lin.

Est-ce bien moi au vent vernal ce menu fretin,
en chapka suante jusqu'aux yeux,
moi qui collecte avidement
parmi les pierres d'Europe la dîme
sur chaque refrain du pays ?

Ceci dit, l'étroit goulot du salut,
comme promet le Livre,
doit rétrécir d'heure en heure,
comme a dit Celui qui nous a rachetés :

Mon bien à un joug est pareil.
Continue à te froisser, visage,

givre-toi, poil rêche des joues,
voix, conduis-moi et bâillonne-moi,
pour que les rides d'eau qui dans le cadre
courent se muent en banquise plombée.

25 juillet 1985

Du Sud au Nord

Les neiges des villages oubliés,
Les steppes brûlées par la non-liberté.

I. A.

1

C'est en vain qu'en moi
un étourneau parleur s'est réveillé,
comme à la fenêtre
où un aveugle observe le paysage,
pâlit à nouveau
la quadrature d'un sommet bleu
et la nuit tisse
la rose au portillon de ma maison.

Souviens-toi encore,
comme on déplace la pierre d'un tombeau,
de chaque pouce
de terre qui sous les pieds se dérobe
long d'un kilomètre,
où un crétin inepte aux sourcils enflés,
la bouche remplie de bouillie,
dans l'alcool fait sombrer les derniers.

D'une bouche crispée
gober une vague d'herbes des steppes.

Ma terre natale
à l'échine de Crimée brisée
jusqu'aux Solovki
qui versent une obole de fer aux rochers,
plus de pelle soviétique
offerte pour balayer ces restes.

2

Insérée dans les coquilllages
la musique mémorable
des vagues, bruissantes sur les fragments
de jaspe et de cornaline,
chœurs et chants
des harpies, sirènes, érinyes,
murmure du pourrissement de mai,
des manchons de zibeline des pins.

Épars dans la cornée
rosée et jets de rames,
chassent la houle vers
la faible charpente conifère grinçante.
Au nord-ouest,
un tison de flammes.
Pas un bourdon ni un trèfle
dans mon asile de nuit.

Destinée désormais sans accrocs,
et musique inconditionnelle,
à moins de perdre la boule,

se retrouvant dans l'espace étroit,
nouveau, tendrement potable
où tu t'immoleras par le feu.

3

Mirage gris
de l'un des mondes révélés :
péniches peintes,
canots comiques tendus dans l'effort.
Un Gille poli,
cheveux ras hérissés,
apporte une bouteille
de rouge emmaillotée de langes.

Rien n'empêche de boire
pour se souvenir, c'est mieux que rien :
le vent à mi-poitrine,
au-dessus : émeri de diamant,
bottes de feutre putrides
et lichen sanglant dans les joints.
Quant aux herbes de soie
que l'orage a chassées vers la mer...

Délicieusement écœurante
était la vie, comme il convient chez nous,
que de loin

invoque une flûte muette.
Mais je ne me plains pas,

je suis heureux, les mots m'engendrent.
Cependant, je n'ouvrirai pas
si j'entends encore frapper à ma porte.

Mars 1986

Le chevalier

Les garrots de l'avoine... Coquelicots
au cœur noir qui parfois
inclinent leur encolure vers les graminées,
et veut vivre sans savoir comment
la phalène aveugle.

Le chevalier galope au pas ferré.
Visière à face de requin levée
jusqu'aux yeux, le heaume
hoche son somptueux panache
comme s'il nous avait remarqués.

Gros damier du caparaçon,
la cape en plis est aussi à carreaux.
La lame de sa dague,
honnête et travailleuse,
a ses entrées à Constantinople.

... Je contemple les bois résineux bavarois,
la toison verte des bouleaux,
une croix terne au zénith des cieux,
perpendiculaire à une autre croix,
traîne sa queue d'argent,

et je vois un chevalier.
                    Je suis prêt
à me précipiter à sa rencontre,
à baigner son cheval, à tenir sa bride,
à trembler l'hiver dans le foin putride,
à marcher sur Izborsk et Gdov.

Et là, me cramponnant à son armure,
plonger sous la glace plombée,
sans cesser de croire au succès
de la croisade, relâcher à la surface
des bulles d'air.

Chevalier, chevalier couleur d'acier,
pareil à un grand leurre :
devant le tombeau du Christ tu comptais
tomber à genoux tonitruants,
mais tu dors sur le fond lacustre.

1986

Au-dessus de la Forêt-Noire, le cœur de Dieu.
… Tu passes Strasbourg couronné de pointes,
les contreforts tachetés de suie,
tu prends d'assaut le Rhin trouble
et tu vires tout net à droite vers la montagne.

L'épervier pie, visiteur médiéval,
voit tout, mais ne garde rien en mémoire,
il se rappelle de tout, mais sans le savoir,
ramant dans l'espace incolore
de ses ailes archaïques.

Face aux vignes d'Alsace,
aux châteaux sur les hauteurs colombines,
aux essaims de piérides fraîchement écloses
dont les voiles étincellent au soleil,
la pénombreuse sapinière de l'Europe.

Les aiguilles rendent les sentiers glissants,
qui entre les troncs droits myrrhoblites
mènent au dévotieux Fribourg,
au maître-autel pourpre et bleu créé
par le pinceau d'Hans Baldung Grien :
les glaces de l'enfer brillent sans doute moins.

Tant et tant de cierges dans les nefs et transepts,
la houle huileuse des flammes fait croire
à des armées d'anges munis de flambeaux
dévalant les murs pour la bataille,
et le Crucifié ne les compte pas.
……………………………………

73

C'est en vain que démons, aspics, pécheresses
font béer leurs bouches de pierre :
« Le cœur de Dieu – soleil de zinc –,
éclaire chichement, ne réchauffe personne. »
Mais du contraire l'âme se souvient !

1986

Sarabande

I

De Georg Haendel musique fatale,
comme une offensive au pas cadencé de sons,
une mort au bruit du tambour.
Soleil moitié crevé, vent gémissant
qui fait voler du miroir la neige
couvrant divers pays.
Inéluctable, tu dores
la toison des perruques
sur les crânes polis, glissants comme des rampes,
des vieux danseurs que tu pousses :
devant eux, la tombe.
Tantôt s'égrène, tantôt en essaim tourbillonne
la gent des corneilles au-dessus des bois.
Avant d'y laisser nos os, nous devons nous armer
de cette musique crépitante, nous inspirer
de ses assauts.

Garçons en rang, filles à marier
aux maigres seins qu'un corsage en satin fait mousser,
martres pareilles au cosmos polaire,

flamants ensommeillés, héroïques mésanges
et perroquet calife.

de tous ceux-là qui donc ne connaît pas la peur
ici sur terre
avant l'affrontement
avec une musique solennelle
dans la pénombre avant la bourrasque ?

Ceux qui en terre sont depuis longtemps,
même ceux-là entendent
tantôt frapper les percussions, tantôt hurler les vents.
Un souvenir surgit, en manque d'oubli :
la perle et la cerise
de ton fard.

II

Une vague aérienne, une attaque de front,
une musique de tambours guerriers
nous a chassés du nid
pour glisser dans les airs... Après la neige
le mécanisme expert du jardin des archanges
fonctionne, invisible aux yeux.

... Un tel silence, au point que l'écureuil sur le sentier
serrant sa queue touffue contre un dos plantureux,
faisant la moue, se languit dans l'attente.
De Jéricho les trompes ne tonitruent pas encore,
les lèvres par leur embouchure ne sont pas tordues,
dans leurs étuis, escargots de cuivre, elles reposent.

Sur les amples revers et le rabat de poche
du cafetan brodé de flore de l'Éden,

défraîchi, le brocart des acanthes.
Je crois n'être pas né d'hier,
je m'approche de toi, je me métamorphose
en vapeur givrée.

Charbon de l'enfer servile : les morceaux d'ambre
de la colophane du violon.
Il est doux de servir, non d'avoir trop de volonté.
Les tenants de la liberté ont tout gâché,
serrant les poings...
Qui entend la musique ailleurs que dans les fausses notes
sacrilèges des plaignants en sueur
se satisfait
de ces instants.

III

À Ostankino, les bougies sont encore éteintes,
mais les miroirs des vitres brillent car c'est le soir
dès le milieu du jour.
Le hautbois bleu surgit de son étui,
et la musique de tambour funèbre
me salue.

L'ours se dandine jusqu'à la clairière enneigée ;
d'un coup de patte n'a-t-il pas faussé l'oreille
de ceux qui avinés déroulent leur hiérarchie ?
Réfléchissez un peu, les petits gars ! Le rouge-gorge
ne coupe pas la branche sur laquelle il est perché.

Un chef d'orchestre viendra-t-il réfréner vos ardeurs ?
Sautillant sur la neige en petits souliers,
il éternuera son catarrhe dans un mouchoir de baptiste.
… Tu n'es pas née d'hier, je crois ;
tu t'approches de moi, tu te métamorphoses
en vapeur givrée.

Tant qu'il n'est pas trop tard,
je vais froncer un sourcil menaçant,
et cependant, comment ne pas céder à l'archet inquiet,
quand il gèle trop pour accompagner,
le camarade grillon ?

Chevaliers de la musique, nous sommes polyglottes
comme les défunts... Et notre seul souci
depuis longtemps est d'admirer
les cieux dans le brouillard délicieux des plafonniers.
Sous nos omoplates
un fond de planches.

Dans les pénates ordonnées les lares sont les maîtres.
Même à un kilomètre de chez soi, après le châtiment,
difficile de reconnaître *les siens*.

Nos tricornes rabattus sur le front
nous protègent de la bourrasque des plaintes sifflantes,
des coups des percussions, des hurlements des vents.

31 décembre 1986

Impressionnisme

Tu ouvres le coffret à cigares,
et s'envole soudain à travers le studio,
gazouillant en japonais, un oiselet,
puis par l'un des battants ouverts
jusqu'aux cerisiers en fleur du jardin
environnant, et son discours indique
que les couleurs fraîches doivent se conserver
dans la glace comme des huîtres rares.

Qui a su prolonger le fameux déjeuner
aux pieds de dames humblement dévêtues
jusqu'au second Avènement
pour racheter nos péchés
et sur le Léthé est parti à la nage,
sans retirer sa blouse apache en piqué,
celui-là a saisi le frémissement du monde
comme une guêpe dans son poing.

1987

En voyage

Ça frappe par en bas, et ça gronde de biais
Toujours plus vain, toujours plus innommé.

I. A.

À nouveau le ruban se déroule derrière la vitre
de la flore de Proust et de Claude Monet.
Sur les talus translucides de canicule
l'ombre lèche fort lestement
les mouchetures tombées des pommiers...
Toute ma vie se passe à voyager.

À croire que ma poche soudain se gonfle
d'un vieux volume avec une litanie de pays,
comme une liste de défunts, allusions secrètes.
La pagination des feuillets vétustes
évoque une murmuration d'oiseaux
par le nombre des rencontres et des adieux.

Comme il était d'usage avant les Tatares,
la moire éteinte est piquetée de suie
du rideau au cordon serré.
La chance m'a souri de vivre longuement
dans un pullman bien secoué,
encore et encore m'arrachant à ma chère âme,

disons avec mission de sortir
des lieux du conflit subrepticement
un sac avec un jeu de plans, de cartes de navigation

et tombant nez à nez avec les troupes adverses,
passer de la basse au soprano :
— Messieurs, du calme, je-je-je vous prie.

Le chemin de croix est à la portée
de celui qui regarde le bourreau dans les yeux
pour y découvrir son propre reflet
fait de runes de svastikas
au fond des pupilles onctueuses
qui reconnaissent leur défaite.

... Dans le volume vétuste sous cuir de porc,
l'invisible, quand tu es avec moi,
et encore plus en ton absence,
en encre sympathique à l'avance
reçoit une leçon qui n'a rien d'inutile
et répond à la tâche commune :

se préparer à l'éternelle séparation.
Sur les branches fond la neige accumulée.
Tantôt les roues glissent sur leurs patins,
tantôt hâtives martèlent.
Ces cahots se feront encore sentir
jusqu'aux premiers jours entre les planches.

Les parachutes des vergers,
comme chez nous, fatiguées du travail,
des flacons, de l'odeur d'hôpital,
au-dessus des amas de charpie,
regardent du côté des amandiers de Livadie...
À nouveau une petite gare passe.

Mai 1988

81

à Alexandre Soljenitsyne

Marqué par l'an quarante-sept,
j'avale jusqu'à présent
la même fumée tourbillonnante
qui s'étend au bord
de mon pays
et de son arrière-front,
comme si le courant était encore branché
dans la toile d'araignée
pendue à la place de l'icône.

La mandarine délicieusement
embaumait à l'orée de janvier.
Les mouettes des glaces du rivage
criaient à qui mieux mieux :
— Ne tombe pas ! à l'enfant
en bottes de feutre jusqu'aux genoux.
De l'autre côté de la rue,
juste en face de nous : des geôles.

Mais je n'en savais rien,
enfourchant ma luge.
Le vent me sifflait aux oreilles
en guise de caresse paternelle.
Sur les rails au loin
vers les zones carcérales

en crissant roulaient
de sombres échelons.

Comme des mondes sous le gel,
je contemplais l'éclat craintif
des guirlandes du sapin
et m'endormais heureux.
C'est pourquoi aujourd'hui
dans ma mémoire, mon cœur, mes veines
les disparus sont plus entiers
que les os dans les tombes.

1989

Le vent de La Rochelle un jour, réveillé de bonne heure,
a calfeutré les fentes d'un parfum d'océan.

Meilleurs que tout hors-d'œuvre, proprement inoubliables
les mollusques locaux ; approchant de la citadelle

d'abord il m'a semblé que les mouettes près des balises
sur le quai se disputaient quelque chose d'argenté.

On percevait dans leur aréopage un hurlement de jouissance
ou « Écrasez l'infâme ! » On l'avait écrasé.

Aussi, l'église était vide, claire, stérile,
impuissante au fond face à la panne imminente du monde.

Confins de la Vendée ! aux plantureuses mûres !
Que les plus grosses framboises ne sauraient égaler.

… Un fort vieillard noueux à une maison de notre
hutte estivale, on le voyait souvent alentour.

Quelque chose dans son maintien ne semblait pas d'ici :
craignant de se trahir, il semblait attendre un miracle en secret.

Sa rage s'était-elle radoucie, sa douceur s'était-elle mise
                                        en colère,
sa vie, à la demande (« Mon Dieu… ») s'était-elle arrêtée ?

Cheveux chenus en brosse sur un crâne maigre et bronzé ;
sous ses habits, seraient-ce des reliques en linge de corps russe
blanc ?

Il portait une énorme langouste dans un filet, tout fier.
Hélas ce n'est qu'à la veille du départ que j'ai discuté

en buvant du vin à la table rustique avec cet ancien
soldat ombrageux de Vranguel en Crimée.

1966

J'avais acheté deux tourterelles ; elles roucoulaient beaucoup :
en vain je les enfermais la nuit dans ma petite malle de voyageur ;
elles n'en roucoulaient que mieux.

Chateaubriand

— Comment va la vie ? Par-dessus le Léthé
sur l'autre rive quelqu'un
attend notre réponse.

— Elle est absurde, à vrai dire.
Notre misère et notre gloire
disparaissent en vain
comme un reflet dans l'eau
que juin n'a pas réchauffé.

— Empressez-vous, négligents,
de rebrousser chemin.
Essayez, mécréants,
de racheter cet impensable
péché, auprès de celui que,
sans chemise propre et repassée,
vous avez osé siffler, malappris,
sur les planches glissantes de l'échafaud.

Ô, gent rebelle, crapaude,
instable et versatile,
capricieuse et servile
à l'extrême tout à la fois,

à chacun selon sa foi,
quand vous serez las, hâtez-vous
de vous écrouler à genoux
devant l'autel de l'ordre du monde.

... C'est ce que nous soufflent,
à nous suppôts de bars impies,
les tourterelles dans la malle
de Chateaubriand,
au bord de la route en tourmente
dans une auberge de passage,
il dort d'un sommeil léger
sous une couverture de drap.

À la frontière du délire
et du réel, un lys dans l'eau dormante,
poudreux et ouaté de roseaux,
ou un manteau sur un trône
pour lequel ont versé leur sueur
en chassant l'hermine
au-delà du cercle polaire
des brigades d'honnêtes barbares.

Le roucoulis des tourterelles
dans les bagages de Chateaubriand
évoquent une ardeur de servir
libérée des travers de la vie.

3 juillet 1996

Jeune tu plongeras, pour décompter
à nouveau les arêtes de l'eau,
tu deviendras parent – d'Ève ou peut-être d'Adam –
de l'oiseau timide comme une jeune mariée.

Car pour les jeunes c'est la vie
qui détermine tout selon les conformistes.
Au déclin de l'été l'entropie célèbre
sa victoire sur les phlox roses.

Les années ont fui depuis cette séparation.
Au cours des deux dernières, les phalanges
des mains de mon amie ont tant maigri
que ses bagues librement coulissent.

De plus en plus souvent et clairement je me souviens
de mon pays, au sens restreint de région natale,
que je ne connais pas,
comme si j'étais mort avant que d'être né.

Et de ma vie j'en ai fait soustraction,
sans me soucier d'en obtenir copie.
Mais comme avant, j'aspire à nager simplement,
tandis que le couchant refroidit les ondes.

Kinechma, 3 août 1997

L'été et l'automne hâtif,
soudés, sont inséparables.
À nouveau une bande d'oiseaux maladroits
avidement assaille les baies du sorbier.

Ma fille, tristement, a quitté la datcha
avec Ivan, mon petit-fils.
Tel un rongeur sur des noisettes d'or,
je vais somnoler en compagnie d'un verre

devant le petit écran, observant
les premiers secours des ondes curatives :
ces règlements de comptes entre camorras
s'achèvent rarement de façon pacifique,

et rien d'étonnant : question de profit
qui tombe droit du ciel dans les poches...
Et soudain j'apprends la mort accidentelle
de l'ex-princesse Diana

avec son Égyptien. On dirait
que nous n'avons rien à faire en ce monde,
plus irréfléchis que des alevins délurés
soudain multipliés dans le Léthé.

Je me souviens de Lady Diana
encore ingénue sur une couverture de magazine.
Ce n'est pas pour rien que l'érable et l'aubépine
se voilent de brume rouge à la fenêtre.

31 août 1997

Dans la baie se regroupent des cygnes somnolents
et se souviennent de leur sœur
de sang, Lady Di,
de sa course sauvage et de sa capture
par une clique de paparazzi ; de l'absurdité
de sa mort près
de l'esplanade où trône le trophée égyptien
d'un obélisque cryptographié.

... Dans le ghetto des amoureux tapissé de mollusques
nichés dans la glace pilée,
la mode paraissait aussitôt défraîchie
en cette antédiluvienne saison.
Aujourd'hui encore s'empoussièrent
sur une étagère mes papiers, acquis alors
avec le consentement du ministère gaulois,
de réfugié et d'apatride.

Là-bas, au-dessus de l'espace pavé
au luxe discret, un cœur
d'oiseau vole des kiosques givrés
vers le jardin des Tuileries et sa proie,
puis de pignon en pignon.
Où est-elle aujourd'hui,
cette lumière incertaine et fragmentée
glissant de nuit sur le visage ?

22 septembre 1997

Le retour de l'île de Cythère

Un quart de siècle plus tard, tu n'es pas oubliée,
toi qui me traînais hors de la ville à la fin
d'un semestre ennuyeux, dans les trouées de malachite
avec des stries pour chaque année, quelque part au palais
du comte Cheremetiev ; et bien que les peuples
soient désormais tous mélangés, tu avais justement
beaucoup de russe en toi, de douceur, de race
dans la cornée de tes yeux très gris.
Même moi, j'ai frissonné devant leurs étincelles inquisitrices
et larmoyantes, qui demeurent gravées en mémoire.

Dans le lait où nageaient osiers cornus et saules pleureurs
on pouvait vaguement distinguer :
aux approches du rivage des ombres
laconiques en perruque retenaient les rames :
sans doute venues ici simplement visiter
les corneilles affamées dans les nuages bas,
de l'île de Cythère. T'en souviens-tu, nous avons remarqué
deux barques silencieuses, lumières aux flancs.
Depuis nous sommes de dangereux témoins,
uniques qui plus est.

1997

Je connais tes toquades : l'amour des gourous et brahmanes,
des tziganes bruyants au matin à la gare,
tu as foi en leurs promesses, en leurs mensonges exaucés,
aux jeux obscurs de chassés-croisés sur leur propre terrain.
Franchissant sans hâte les pentes et les isthmes,
je pose la main sur ton cœur qui s'embrase
de femme russe sur laquelle on peut compter, pas volage,
qui, connaissant son affaire, sait aussi oublier.
Même dans un rôle périphérique le dessin est pur,
la couleur d'herbe pâle de tes robes,
Ostrovski l'aurait appréciée, et les premiers symbolistes,
comme d'ailleurs les honnêtes figurants du poulailler.

Le vent reprend le thème : sans variations,
au refrain simple et fondateur : *je t'aime.*
Viendra l'automne avec sa grande crue de dévaluations :
mauvaise passe pour le yen, le tougrik et le rouble.
Un collier de jade couvre
la molesse maternelle entre tes clavicules.
Transforme un néophyte en amateur de théâtre éclairé,
je lirai les programmes des pièces à la place des éditoriaux.
C'est-à-dire : métamorphose en aristocrate un démocrate.
Mon devoir sera désormais de marmonner des citations :
talisman contre un siècle astringent, et tout
le bric-à-brac qui nous envahit.

20 août 1998

Ce n'est plus ailleurs mais chez moi que je suis hébergé,
comme si j'attendais le bac près de l'eau pailletée.

Et les oiseaux rapportent, revenant de leur hivernage,
des fables sur les frontières du pays.

Prestement saisir le sens d'une ligne écrite
est moins facile que dans une barrique un hareng.

Chaque syllabe est salée, menaçante, acide
à l'intérieur, et derrière : l'autonomie du sens.

Moi qui ne suis plus depuis longtemps en circulation,
je recherche pourtant des contacts humains.

Que les vagabonds me donnent une idée
de ce qu'il faut donner aux cygnes de Stockholm.

Et nous partagerons sans rien dissimuler
notre savoir sur les pigeons et mouettes de Venise ;

et ce qui prédomine envers ma patrie – un test
de confiance – écœurement ou jalousie.

La nuit, mise au point des étoiles : plus puissantes,
qu'elles racontent donc la vie dans la tombe,

et quand elles sont floues, que leur lueur
nous enduise les lèvres, qu'elles parlent aussi.

… Et que le caïd avec une balle dans le ventre
ne rende pas l'âme en pensant à une pouffiasse,

mais en se souvenant de mon chat qu'il a
jadis écrasé, et pousse un soupir enroué.

11 mai 1999

Développant Marcuse

à la mémoire de 1968

1

Persiflant un refrain de Legrand,
radicalement tu as changé de style :
depuis longtemps plus de soutien-gorge,
ton pantalon balaie la poussière.
Mais tu éprouves encore du ressentiment
parce qu'il m'est arrivé parfois
de négliger ta libido
en étudiant l'œuvre de Marx.

Et quand dans la cabine transparente,
toute nue tu entrais sous la douche,
je me hâtais aussitôt de changer de disque,
refusant de croire à ces sornettes roses.
Lorsque tu relâchais ta crinière noire
d'un coup librement dans ton dos,
de la révolution les mesures sévères
me paraissaient soudain justifiées.

Pendant que l'agent fondamentalement
prépare quelque part un nouvel assaut,
pour la première fois tu vires gauche radicale
et tu ne nous es pas du tout indifférente.
Reposons-nous des luttes à venir,

l'inconscient sort de ses profondeurs.
Un ami, fier de son froc à pattes d'éléphant
jusqu'au ras des semelles, charge sa carabine.

2

Mon Dieu, et tu voulais encore,
débarquant d'un trou perdu dans la capitale,
dans un atelier vendre ton corps novice
à un barbouilleur pour quelques sous.
Savourant déjà son profit d'avance,
des yeux en nouveau riche il te dévore,
Devant lui, seule sur l'avant-scène
tu te tiens, toute déshabillée.

Cruelle, que la honte te saisisse
lorsque tu seras à mon chevet,
si d'une draperie ta main hâtive
ne voile pas ta hanche plantureuse.
Charnue et d'un raffinement extrême,
tu n'as plus vraiment figure humaine,
éparpillée en pâle arc-en-ciel
de touches impressionnistes.

Aux lys, aux nénuphars, à leur capture
moi-même ne suis pas indifférent, pourtant
résistant aux fleurs, c'est au mot que je cède,
incandescent dans ma poitrine désormais.
Mon lot : siéger dans la fumée épaisse
de cafés au sol en lino
et me quereller avec le verbe,
pensant à la strophe autant que je peux.

3

à H. G.

Sans déranger les pêcheurs somnolents
perdant leur temps aux portes de l'hiver,
sous un vieux parapluie aux larges branches
nous progressions le long du quai.
Les péniches nous doublaient obstinément
dans une agaçante poussière aquatique.
Et les pinces bulbeuses de Notre-Dame
comme toujours se dessinaient au loin.

Il y a bien des années en Russie,
ayant fait connaissance, je t'ai questionnée
sur votre entropie bourgeoise,
mettant le cap en douce vers ces autres cieux.
T'enflammant, tu as dit d'une voix tranchante
que son compte serait bientôt réglé.
Qu'attends-tu, ou serait-il trop tard ?
Ou trop dur d'en finir d'un seul coup ?

En chemise de soie sur le lit
dans mon terrier de réfugié,
tu as l'air d'une aristocrate.
L'an quatre-vingt-trois a sonné.
Mon esprit digère la nouvelle
qu'Andropov a passé l'arme à gauche.
À l'époque pas une journée ne passe
sans une bouteille de rouge.

4

Au soleil dans l'église incommensurable,
l'air garde malgré tout sa froideur ;
dans les pierres s'incruste une suie séculaire
et le bestiaire dort en montrant les dents.
De l'autel la rosette immense
au vitrail rouge et bleu éblouissant
semble le sceau enflammé de Dieu ou
le cosmos, tranché d'un coup de couteau.

Nous marchions, hirsutes, dans la sombre
nef latérale apparemment sans fin
et d'un cœur irrépressible nous étions
plus proches des morts que des vivants.
D'un éclat de quartz dans la coupe de pierre,
brillait l'eau pour mouiller nos doigts rigidifiés
avant de faire – oui – le signe de croix.

Enfin, ayant repris souffle
sur un banc accessible à tous,
n'ayant pas le courage de demander
le pardon de nos tares,
nous avons rejoint la ménagerie urbaine,
quittant lâchement cette demeure antique
aux allures de contre-torpilleur
prêt à partir de son chantier naval.

5

Traitant Montaigne de tous les noms,
je cèderai ma veste en cuir à un clochard.
Pour ne pas ressembler à un phoque,
je me rends à horaire fixe
dans des salles mal éclairées
où des amies des brigades de propagande
et autres intellectuels variés
sur des cibles tirent furieusement.

Aujourd'hui, après avoir futilement
absorbé un lot de balivernes opportunistes,
comme quoi Tsé-Toung n'a pas toujours raison
et qu'en Russie les choses marchent mal,
comme suivant brusquement
l'ordre que le cœur nous dicte
nous marchons dans Montparnasse coi
et n'essayez pas de nous arrêter.

Sur les tours, les chimères exhibent leurs crocs ;
les recteurs en secret nous soutiennent.
Gardes rouges, castristes et khmers,
une dose de poudre dans la poche de poitrine.
Lénine a raison, il faut qu'à l'heure dite
nous nous rassemblions dans un lieu convenu
pour procéder au sacrement de la vengeance :
aux ennemis de classe infliger un lavement.

6

Moi-même le premier je viendrai te le dire :
tout est perdu, les nôtres battent en retraite.
Nous devrons accepter de nouveau l'esclavage
de la bourgeoisie sous laquelle nous vivions avant.
Les policiers nous ont royalement récompensés :
qui d'un œil au beurre noir,
qui d'une cicatrice au front,
quant au troisième, il est dans un cercueil,
empoisonné par les lacrymogènes.
La barbe au vent, il ne sifflera plus
tout guilleret :
— On va reboire un coup !
Ma bien-aimée, d'une seringue je rêve,
mets-moi donc une ampoule de plus.

Je t'ai vue seule au-dessus de la mêlée
pour les idées radicales sur les droits de l'homme,
mais affaiblie soudain, tu as failli accoucher
dans cette assourdissante discothèque.
…....................

Selon une autre loi de la dialectique
que les combattants se doivent de respecter :
qui dès les premiers combats complexe et déprime
va dévier rapidement vers la droite.

Et s'il en est ainsi, comment pourrions-nous
aider les politiquement ignorants,
moi, un pansement rose sur la tête, pareil à un turban,
toi avec un bébé qui pleure dans ton ventre ?
1969, 1999

La lettre jamais envoyée

J'écris comme si dans le vide je bavassais
à propos de nos vieux bla-bla en sourdine,
comme si j'avais hâte de t'expédier
une dépêche, tout essoufflé.

Comme au temps de la stagnation
désirable, aussi bien qu'au choc des réformes.
Et la pêche rose de Cézanne
a gardé sa forme irrégulière.

En presque un quart de siècle
je suis apparemment devenu
un passant au visage de quidam,
au pardessus quelque peu usé.

À toi, il est donné selon ta foi
de conquérir de nouveaux sommets,
d'être chez toi dans la noosphère,
d'être en pleine lumière, sur toutes les lèvres.

Cohabiter nous était difficile,
car la vie finalement revient
à descendre toujours plus profond,
à se tapir dans les profondeurs.

... Lorsque par une vue de l'esprit
tu liras changeant de visage,
de ce monde la fin
prochaine et inéluctable,

Le vent surgissant aussitôt
de ses toiles humides
entreprendra comme des momies
étroitement de nous emmailloter.

1999

À la mémoire de Romy Schneider

Méprisant la prudence
et soupçonné de trahison,
c'est à grand peine que j'ai passé la frontière.
Un saut et me voici à Vienne aux bonnes mœurs.

J'y marche tel Lazare en plein coma,
sans m'être encore accoutumé à rien,
je vois partout des portraits de Romy
qui vient de décéder récemment.

Tantôt jeune aux cheveux châtain
et aux prunelles incandescentes,
tantôt enlaidie, alcoolisée,
aux yeux dissimulés par des lunettes.

Depuis, vivant sur mes dividendes
et sentant que je m'abêtis
je guette dans les cinémas bon marché
tous les films où elle tient un rôle.

Je connais ses courbes et ses travers.
Mais toujours au bout d'une heure ou deux
les écrans pas bien grands
dans une pluie de parasites s'éteignent.
Mais suffit, suffit d'en parler.

Après, à une table ou au bar,
je vous le dis en secret :
tout finit en douce par une beuverie.

Romy et moi sommes de même foi :
comme son sourire en convient.
Mon cœur bouge encore dans ma poitrine,
mais s'y sent doublement incertain et transi.

1999

À l'époque des semestres légendaires, des sessions
alternant avec des beuveries,
quand nous étions encore étonnés
de nous réveiller ensemble, toi et moi,

chiot au pedigree compliqué,
visiblement très fier de sa crinière
et de sa compréhension de la vie : quelque chose
qu'il convient de brûler par les deux bouts,

en savates d'artisan de l'art.
Toi au contraire en ce temps-là
tu portais du phoque ou du vison,
et sur les yeux des ombres colombines.

De la rue Volkhonka dans sa neige fraîche
les lumières étincelantes
au pays des chefs-d'œuvre et de l'armement
sont soudain si lointains.

Nous sommes chacun dans sa tranchée.
Menaçant l'avenir du poing,
je ne suis pas devenu misanthrope,
seulement marginal et bourru.

Cependant, comme au consulat du Paradis,
je me rends parfois au musée :
je regarde les alevins rouges de Matisse
et je me souviens de mes anciens amis.

2000

De jour

Quand de jour tu rends visite
à la pénombre de ma maison
et que tu sembles tout promettre
sans rien promettre,
marmonnant : quel bonheur
après tant de difficultés,
de ton poignet tu retires
ta montre qui te glisse des doigts,

et moi, plongeur irréfléchi,
je constate rapidement
qu'un tourbillon muet dérange
l'églantier blanc à la fenêtre,
et je ne crains pas de piquer
ton épaule déshabillée,
la tendresse animale
me réchauffe comme un jeunot.

2000

Pas maintenant, pas en ce mois de septembre,
mais je fus un égal parmi les piranhas.
Désormais je suis un vrai sauvage
et j'évite les rassemblements.

Au fond, je ne pige rien
aux grandes questions de l'âme russe,
je m'empresse parfois de me piquer le nez,
sans attendre le soir et le froid
qui fait palpiter le ciel turquoise
au-dessus des congères en friche...

À ces moments-là, au déclin de mes jours,
j'envie parfois le vieil accordéoniste
qui joue « Yesterday » dans la pénombre
d'un passage souterrain.

2001

Ne crois pas que je sois à toi :
dans des pénates vétustes
je ne suis que fumée saisonnière
au-dessus des feuilles tombées.

Ayant pris la tenace habitude
de marteler les touches à la datcha,
je dors de moins en moins,
plus rarement encore suis-je éveillé.

À la fois jeune et vieux,
c'est ainsi que jadis
regrettait tout ce qui lui fut cher
Ivan Chmelev à Paris.

Écoutant les klaxons
des Peugeot à tous les carrefours,
il voyait des soucis et
des asters sur les tombes...

Longtemps d'une terre étrangère,
j'ai bu la coupe jusqu'à la lie.
Revenu seul chez moi,
aux bois d'ici j'ai rendu les armes.

Je ne suis pas de ces renards
qui agitent ici leur panache.
Par-dessus les frontières,
tu es de ces oiseaux rares
qui passent l'hiver avec nous.
Pour être juste, aujourd'hui

je ne suis pas une note d'accord,
mais une partie du non-être,
du feu de bois, de la chute des feuilles.

Et mon chemin fut long
et bref et laborieux
jusqu'ici, sur ta poitrine
au souffle saccadé.

2002

Passée la vie, et même au pas de course
à l'écart : vis-à-vis de cet espace,
dont le dard fut arraché,
après le sacrifice, après l'amour.
Ce n'est pas le prix de la question qui est en jeu,
ni le fait d'avoir fui le navire...
Sans anesthésie qu'a-t-on fait de toi,
ma terre natale.

Mais de vives couleurs se pare, embellissant nos jours,
la crête des bois alentour, des moineaux
en grand nombre viennent picorer
les sorbiers déjà brunissants,
eux aussi accoutumés sans doute à la puanteur
des vallées tourbeuses de septembre.

Et les violons d'Albinoni se lamentent
dans mon terrier sans chauffage.

2002

Le portrait

Toujours pas de réponse claire
expliquant le froid de la mélancolie du monde.
Et d'où vient cette lumière à l'embouchure
lointaine d'une rue de province ?
C'est la vie avec sa capitation.
C'est, plus adulte d'un an,
Le garçon en rouge au règlement militaire
du musée des beaux-arts de Kostroma.

Dans un vocabulaire réduit on nous explique
que plus d'une fois déjà
nous ne sommes que le résultat annexe
d'un rejet de plasma surchauffé.
Mais s'il en est ainsi, d'où vient donc
la force morale d'un officier tout gamin ?
Et aussi l'espérance qui accouche
de la verbosité et de la foi ?

S'il deviendra peut-être un mécréant,
éventuellement un franc-maçon,
le peintre anonyme né dans le servage
n'a pas osé le prédire à l'avance ;

l'obscurité s'éclaire avec la bourrasque,
et les ronces phosphorescentes,
et l'espace à perte de vue
tout autour de notre province.

6 janvier 2004

Je croyais que la vie, avec ses privations,
suffirait amplement pour en faire sacrifice.

Mais son prix dans la suite des effondrements
évoque un music-hall de Gershwin.

Je croyais que l'Antarctique au moins ne risquait rien,
mais voilà qu'il se fissure et se désagrège,

les ours s'agglutinent en troupeau bêlant.
La profondeur de l'univers révèle sa béance.

Je croyais, la Russie... J'en sentais chaque atome
dans mon cœur, par tous mes pores,

Mais elle ressemble à un protectorat
pillé par des maraudeurs.

Je croyais aussi que le temps guérit,
et j'allais parfois mieux grâce à son traitement.

Mais il ne s'oppose pas au cours honteux
qu'on lui fait prendre.

2005

Tu pleurais, tu étais alors
en conflit avec toi-même.
Te détournant, tu attendais
que je te console.
Tel celui d'une institutrice,
jeune et timide encore,
tremblotait, coloré au henné,
un petit chignon sur ta nuque.

La première tu as marché
sur les terres inondables du Léthé,
le champ de mine du sommeil
subtil à l'orée du jour :
je rêve de toi, ma poitrine se serre.

Tu me vois, réfugié comme un rôdeur,
dans cette masure près des rails,
ma joue est soudée
à l'oreiller aplati en crêpe.
Tu entends l'effervescence
de mon cœur, avec sa brûlure.
Entre nous dans la pénombre passe
la ligne Maginot.

Mai-juin 2005

À la mémoire de V. D. Polenov

Les jeunes artistes percevaient des bourses
et vivaient des mois durant
sur les rives abruptes de Normandie :
ouvrant leurs chevalets, ils passaient leurs journées à peindre
et leurs soirées à célébrer le résultat
de leur labeur et des efforts de toute leur pléiade.

Et bien que pour les vagues et les profondeurs
les cirés soient plus importants,
les mouettes de la région rêvent encore
de pinceaux, de chapeaux, de pèlerines,
non seulement les oiseaux adultes,
mais jusqu'aux oisillons entre les rochers.

Quel autre sens accorder sinon
à leurs cris, à leur envol agité de la falaise
où les pierres sont léchées de ronces et qu'érode
le vent d'hiver au parfum de calvados...

13 janvier 2006, Veules-les-Roses

Par des voies détournées
Le temps touche à sa fin

et passe tendrement
ses griffes sur mon visage.

Sur mes rives natales,
du sel dans les poches de mes yeux.

La vétusté de trois couches de vêtements
te rajeunit considérablement.

Nous allons nous-même réapprendre
ce que nous avons oublié,

échanger entre nous les volumes
de l'*Histoire* de Soloviev.

Chut, virant au sifflement,
le vent ébouriffe les feuilles.

Au-dessus des cours assombries
une jeune portée de mondes.

On dirait bien que les galaxies
savent ensorceler.

Mais ce qui s'y trouve vraiment
nous ne pouvons même l'imaginer.
Jusqu'à la plus proche étoile vivante,
mille ans de voyage.

19 octobre 2005

Élégie du parc Monceau

Lait de brume, feuilles corrodées
dont des bribes pendent encore aux branches,
Des roses sans doute résistantes au gel
sur un arbrisseau crucifié au grillage.
L'automne, c'est toujours l'anarchie.
Il y a vingt ans, mais on dirait hier,
Brodsky ici marmonnait : « Ce n'est pas de mon domaine,
désolé, l'activité de Soljenitsyne. »

Sous la neige à Monceau le nombre décroît
fortement de ceux qui au jogging s'adonnent.
… Un an et des poussières plus tard le cours de l'histoire
s'est accéléré à vue d'œil comme dans un conte de fée,
ou plutôt quelque fantasmagorie,
tendant vers une fin que seuls les sots ignorent.
C'est pourquoi je me hâte, touchant ta main –
comment les réchauffes-tu en automne ? –
de raconter à la va-vite, de façon incohérente
ce que tu ne sais pas encore.

Décembre 2005

La Basilique Saint-Denis

Touchées par la corrosion,
les feuilles des jours derniers.
L'automne pas encore tardif,
va encore s'attarder.

À jamais mystérieux,
un étau nous enserre le cœur :
chacun de nous est unique
pour son Père.

Pas de la caste régnante.
Je suis même un évadé,
sous-officier anonyme,
aux bottes éculées.

Si vous voulez connaître
mon service dévoué,
on ne saurait le saisir
sur caméra cachée.

… Ma vie babelesque
depuis son commencement
évoque un peu l'*Anne
de Bretagne* de Saint-Denis.

Avec ses clavicules de marbre,
ses épaules osseuses. Nous autres,
monarchistes, perdant nos mots
aux oiseaux devenons pareils.

2006

Contreforts

à Oleg Tselkov

Les contreforts houleux valent mieux que les monts :
inégales, leurs vagues ondulent,

rivalisant de chiche enneigement
au sifflement des vents qui s'y promènent.

Qu'en sera-t-il d'une vie qui bat vite en retraite
vers les ultimes limites ? Je ne sais pas, mais

peut-être prendra-t-elle exemple sur l'azur
faiblissant où l'astre est soudé au zénith.

Dérivant en couple, le vieux milan devance
l'épervier, comme un destin dépassant le destin.

… Enfant, je me souviens d'avoir souffert des amygdales,
et aussi du syndrome de l'éducation soviétique.

Mais il me semble, apprenti zélé, que mes pinceaux
sont à la frontière des Pays-Bas,

et dans la chambre en arche aux parois peintes
je vois soudain par un matin prophétique et serein

par la fenêtre derrière l'épaule de la Vierge
des contreforts pareils au monde sous-marin.

2006

Poème eurasien

J'existe par moi-même, non la volonté
des jours qui par heures se comptent.
Alentour un champ en friche,
le champ de ma vie écoulée.

Tant bien que mal, la blessure est pansée
du crépuscule trouble au loin.
Jappement de renards au camp de Gengis Khan,
lueurs d'orage au-dessus du garrot de la terre.

À nouveau quelqu'un trouble les désemparés
en évoquant l'avenir de la Russie.
Et quelqu'un me promet à nouveau
tout plein de musique dans la poitrine.

Je déblaierais bien ce foyer à mains nues,
mais la pluie est plus assidue que le feu.
Je lutterais bien contre les bolcheviks,
mais le ver est plus combattif que moi.

Pris jadis en provision de bouche,
mille ans après, les langues
de la tempête qui décroit
nous rendent nos galets bruissants.

Et dans la steppe salifère tout l'hiver durant,
on ne comprend plus, parmi paniers et piques,
si l'akyne rivalise avec le muezzin,
ou si le muezzin avec l'akyne[1] fait chorus.

Octobre 2006

---

1. *Akyne : barde improvisateur des steppes.*

à N. P.

Sais-tu que, doux petit veau,
je remballe mon drapeau, il est temps.
Même si à trente verstes de Marseille
dans un lieu dont le contour évoque Koktebel
se déroule le grand jeu
entre des vieillards aux tronches averties,
en casquette à la Gabin,
en vieux velours côtelé à bretelles...
Sais-tu que la pente de la vie
est déjà à portée de pied,
lorsque tu regardes les feux étoilés,
je veux dire la mer qui s'agite
en ces jours d'octobre brumeux...
Le coffre du pêcheur ressemble à un chevalet d'études.
Une canne à pêche d'une longueur inusitée
s'incline au-dessus du ressac, et donc
il devrait ramener une prise.
Sais-tu...

Contemplant, dans mon dernier amour,
le pin qui s'agrippe aux rochers,
sous l'auvent de la falaise voisine,
genoux contre la poitrine, je m'endormirai.

31 octobre 2007, Cassis

Une île

Le vent de l'océan, son déferlement
écorche à vif le buisson de fusain,
à moins que ce ne soit un saule violet...
En hiver, nous sommes deux sur le large plateau.

S'étonnant de la différence d'âge
entre nous, à croire que sous le soleil
ils n'ont jamais vu de tels couples,
suspendues dans la pénombre blême
les mouettes de l'île crient
avec l'accent de Sarah Bernhardt.

Sur les schismes du schiste, les accrocs des îlots rocheux,
leur boucan ne prendra jamais fin.

Dans de longues années, avec un fils adulte,
je te vois ici immanquablement,
où des rêves courageux, profonds,
fidèles et donc anciens toute la nuit
m'ont visité la veille de Noël.

... À ciel ouvert dans la glace pilée,
les huîtres en caisson sont très demandées,

mollusques et autres bestioles ; un stylo
dans ma pince, j'ai oublié mon cache-nez au café.

26 décembre 2007

Objets d'exposition

I

Sous vitrine blindée
au musée
le squelette d'un guerrier,

dont le visage durant le combat
a pris l'apparence du bec grand ouvert
d'un oisillon face à l'avalanche ennemie.

Moi aussi je troquerai le réel
pour le rêve sans redresser les épaules
et je verrai se morceler la rouille
des vieilles lames, des épées

du temps où dans ces régions, imagine,
le chêne était plus chênier et l'orme plus ormeux.

II

Sous vitrine blindée
au musée
la chemise de Marie-Antoinette.
Des Alpes effleurées par l'annonce de l'aube
les sommets tailladés
sont chauffés au rose.

En bas grouille la réalité
favorable aux bourreaux.
On peut désormais passer
ce ruisseau à la nage ou à gué :

Le Léthé s'assèche, imagine,
bientôt presque tari.

2008

Qui n'a pas courbé l'échine sous la faucille et le marteau,
sa vieillesse aqueuse le fait vivre,
sans honte de sa chemise au col élimé,
pourvu qu'elle soit propre.

Aujourd'hui, dans le port aux bateaux rouillés
mais encore fiables,
bordé de pierre et d'herbes sèches
qu'inclinent les vents,
j'ai distingué dans le murmure des vagues le message
d'un oiseau vivant en grande mer
sur un univers argenté
et ses frontières naturelles.

Pour les passer nul besoin d'appliquer de l'onguent
sur ses plaies avant de dormir,
et encore moins d'emporter
des tenailles pour les barbelés.

24 décembre 2008

La rive

Dans leur pâle phosphorescence,
crevasses et arêtes des falaises
semblent reproduire
la texture d'une tenture antique.
Le vieux ressac qui devant nous
murmure et dodeldit,
et grommelle, les polit,
chagrin, depuis des siècles.

La tactique m'est étrangère
contre terre de me serrer.
Vu de la galaxie, apparaîtra
de manière plus claire
le lien entre ta nature
féminine alambiquée
et l'argent moulu
jusqu'aux feux du quai.

29 décembre 2008

Nouvelle emplette

Tandis qu'assez fière de cette emplette,
tu te prépares à partir,
nouant sur ta poitrine
ton foulard couleur de miel pâle,
je t'imagine déjà,
en petit oiseau de chez nous,
à l'heure pénombreuse
te perchant sur ma croix.

2009

Fatum

Il en est toujours ainsi,
quelle que soit notre attente,
en clair-obscur la pluie dissout
un destin après l'autre...

Rétro d'un livre occidental
à prix de kiosque de gare :
chapeaux de détectives et flashes,
et feux nageant dans le brouillard
des vitres avec des flots
de larmes grises et confuses.
Et dans les squares désertés
les déviations des vieilles branches.

Le sens de mon existence
n'était pas implanté dans mon cervelet
mais tout entier noté à l'avance
sur un bout de papier.
Mais à l'issue d'une poursuite,
des nombreuses poursuites de la vie,
le feu a pris, me brûlant les paumes,
dans le cendrier.

Qui suis-je ? Je l'ignore. Peut-être
le fatum qui cache son jeu.
Ce n'est pas pour rien que le cœur s'inquiète.
Mais une chose est sûre : jadis

j'étais plus jeune,
me gargarisant de mes strophes,
je dormais avec celle
qui ne ressemble à personne,
et derrière la porte, dans l'entrée,
l'eau goutte à goutte tombait de mon pardessus.

1er juillet 2010

Nu et quelque chose

De nombreuses versions contradictoires
expliquent l'adrénaline sous la peau :
le nu féminin aurait mangé une pêche d'été
pour lui ressembler ou peut-être
les associées de Modigliani
auraient vu au petit matin
des failles entre les nuages
du blanc de leurs yeux d'azur...
Épis et coquelicots aussi
troublent la vue au bord des routes.

Je suis vêtu de couleur kaki
imprégnée de sueur et mon siècle est périmé.

En vieillissant, ma peau du cou
est bien plus sombre qu'une toile.
De nuit, tu m'es beaucoup plus
précieuse. Et de jour plus proche.
Le ciel a viré au plomb,
on entend rouler des tonnerres.
Le cœur pourrait griller,
se réduire en cendres. Mais en été,
tout le jour nous marchons
pieds nus.

Cependant je suis déjà toqué,
même si je garde de m'en alarmer.

2010

Au-dessus d'un fragment insulaire d'Atlantique
où jamais un Russe n'a posé le pied,
dans les confins racoleurs de cette galaxie
un petit point perdu
devient plus net
dont la périphérie lointaine
comme sous nos latitudes
est couverte de conifères enneigés.

Là-bas aussi glace d'amont et franges du rivage
bruissantes et fondantes s'agglutinent,
et les mouettes ne tentent même pas
de quitter leurs pénates natales.

Indénombrables, les mondes à l'abandon,
Mais il existe un autre minuscule point
amoureux de son soleil,
qui blanchit dans les brumes mouvantes.
Savoir plus curatif que boue miraculeuse,
que les phrases flûtées du rossignol :
ton prochain après son ultime sommeil
ne doit pas passer pour un déserteur.

2010

Stances tardives

Plus moyen de discuter avec la terre,
depuis ces années où
un premier ami en elle s'est couché,
puis un second et un troisième.
Mais elle s'est abaissée,
nuisant au rossignol et au pouillot,
À un point que même
Lyssenko n'aurait jamais imaginé.

J'aurais choisi une autre vie :
de quelqu'un qui, réveillé tôt,
sur le cervelet se verse
de l'eau glacée du robinet,
ou qui longuement
avec un livre aime à se prélasser,
ou qui secoue sa mèche
comme un jeton dernier.

Mais les délais sont dépassés,
avant même de s'écouler,
des sportifs et du paresseux.
Dans ce nouvel éon quant à moi,
miné de douleur et de sel,
constatant ta beauté,

je me résigne au rôle
de détective privé.

Demeurent cependant
des profondeurs inexplorées
où nous avons voulu chercher refuge
pour émerger, le dos arqué.
Mais avec notre appareil
respiratoire est-il possible
dans l'épaisseur d'azur
de se sentir parmi les siens ?

Aujourd'hui je ne me fie
qu'au ciel,
lui seul répond à tous besoins,
et avec lui timidement je communie.
Comme après une course,
je lève la tête
et je pose à l'avance
les jalons de voyages futurs.

Septembre 2011

Un navet avec Monica Bellucci
montée du cou, bretelle sur l'épaule :
aux yeux des vieux accrocs aux séries télévisées
ça peut passer pour un chef-d'œuvre du septième art.
Aux approches de la cinquantaine
quand tu apprécies de moins en moins le monde,
le regard orphelin d'un toutou de rencontre
peut te remettre les idées en place et te donner des forces,
et même te rendre honteux d'être mal rasé.
La toux grasse devient aux tympans
plus familière que les gros mots.
Près d'une buvette, des types éméchés
attendent leurs copines devant les toilettes.
Un gel inattendu a frappé
l'épine-vinette, le sorbier, l'aronia ;
il est plaisant de placer leurs baies sous la joue,
sous la langue : non, elles ne sont pas
plus douces que le raisin,
mais simplement réjouissent l'âme.

Et la belle Italienne dont le corps
semble presque surhumain,
et le chien errant toujours affairé,
et les baies des jardins russes sous la neige
ignorent encore qui les gouverne.
Tu te souviens du pilon de Karamazov ?

Même si les feux des ghettos,
je veux dire des banlieues de Moscou,
se rapprochent de ma masure.

Dessin

à A. et M. Iakout

Lisse lumière matinale
du plafond de verre
ma main sur le papier
dessine ton portrait
au crayon dur.
C'est dix fois plus ardu
qu'un modèle tout nu
ou les pommes qui lui ressemblent.
Sans parler des falaises normandes,
et de leurs sombres masses
où le vieux ressac fatigué
commence à reculer...

Désormais, au déclin des ans
je n'ai pour seul bagage,
que la trace fuyante
de la mine, d'argent foncé.
Mais sous ma main la feuille
se fait de plus en plus claire,
sans marges ni passe-partout,
unique en tous points.

Ni sanguine jaillissante ni
touches d'huile épaisses :
aux âmes pauvres plus précieux trésor :

sur la taie d'oreiller
la trace nocturne de ta tempe.

3 décembre 2012

Changement de temps

À E. Mourina

Le cygne n'a nulle part où se cacher des gros flocons de neige,
sous l'arche étroite du pont
il se blottit en attendant que ça se calme,

que se rallument enfin les frondaisons
de toutes les nuances de cuivre, de rouille, de cire à cacheter,
qu'une teinte turquoise blafarde
remplisse le ciel et lance son appel :

— Cézanne,
autodidacte au caractère introverti,
dont la redingote est toujours pie,
sur le trépied de ton fidèle chevalet
de ton pinceau jaillit la jeune pousse.

16 décembre 2013

Cimetière écossais

Sur les stèles verdies
qui surgissent de terre sous différents angles
les épitaphes lyriques perdent leur tracé,
les pierres tombales patinées de lichens –
couleur d'herbe, d'air et de clôture –
sont pour ainsi dire dépourvues de noms.

Même nuance pour le haut relief émergeant du mur :
Le père de famille en perruque, culotte au genou boutonnée,
dame en robe nouée sous la poitrine,
un enfant sage d'environ quatre ans.
Qui sont-ils ? Je regarde encore,
mais en guise de lettres seulement des failles
sombres, d'une teinte vaseuse.

Le destin m'a déposé là,
se jouant de moi bizarrement :
l'air est humide, avec une pincée de sel de l'océan,
la porte de l'église est condamnée, sans poignée,
cimetière des inconnus, des oubliés
dont les noms sont peut-être préservés
dans les registres des archives,
mais pas ici
où leurs restes reposent.

....

En entendant « Shakespeare »,
on imagine du sang sur un poignard
et l'horizon à l'heure du couchant,
des nœuds dans des cheveux
de chanvre, une noyée ceinte de fleurs
qui compte tant pour nous.

Mais soudain il me semble que ce lieu précis,
ce cimetière moite et délavé,
au bruit du ressac,
convient mieux à ses personnages austères,
penseurs, guerriers et proscrits,
qu'à cette famille vertueuse
à la morale visiblement teintée d'épicurisme.

D'autant que le manoir sur la falaise
à cette heure
ne ressemble plus du tout à une imitation moderne
et pousse l'asthmatique que je suis à reconnaître
avoir encore bon pied bon œil
et remonter la pente au trot fort aisément
jusqu'au lit d'où je ne me relèverai pas.

Mai 2013

Vent

La mouette illuminée de couchant
est emportée je ne sais où.

Le vent ici est le seul maître :
il y a beaucoup de vent et peu de moi.

Il rabote rythmiquement la marée,
humidifie l'anse de l'œil,

autrement dit l'habitacle des jours passés
et des feux huileux au loin...

À qui donc laisser l'héritage
de mon enfance libre des mois d'été,

le destin de mes camarades, la fidélité de mes amies,
qui soudain acquièrent plus de prix ?

Sur leurs affres et leurs chagrins,
leurs beuveries, leurs accoutrements,

de multiples détails connus de moi seul
après ma fin n'appartiendront plus à personne.

Et puis je commençais presque à deviner
ce qu'il en est finalement de la Russie.

Au fil du temps ses cercueils ont su recueillir
si grande part de notre amour, de nos prières.

Comme d'une bague d'alliance, je me sépare
de ma mémoire et, qu'il soit propice ou contraire,

je tente ici de confier au vent
le bric-à-brac de mon existence.

12 juillet 2015, Étretat

L'île de Ré

à la mémoire de Nina Bodrova

Les pales lumineuses du phare
lissent l'espace,
semblent prêtes à balayer
la poussière étincelante des mondes
dans la substance de l'océan,
mais non, on dirait qu'elle est bien soudée.

Nuit européenne, fidèle à elle-même, en Vendée :
foyers allumés des bars,
couples amoureux de même sexe...

Les promenades seraient-elles plus sauvages ?
Ou les vagues plus au diapason d'un requiem ?

Prenons rapidement le café du matin,
et hâtons-nous de nous signer devant

les pierres ébréchées
de l'église insulaire Saint-Martin.

Personne, mais les voix des psalmistes
même enregistrées semblent vivantes.

Ici le tryptique de l'autel évoque
les victimes d'une terreur pandémoniaque.

Quelqu'un les a-t-il pleurées dignement ?
Seul le vent peut-être qui caresse
les plumeaux échevelés des roseaux.

En Vendée demeure incarcéré
le modèle des exécutions du Goulag.

L'extermination du christianisme.
Deux cents ans d'agonie du monde.

Et le cœur
se vide
de plus en plus,
rien ne saurait le remplir :

ni l'uranisme légalisé,
ni la peur larvée
de l'avenir.

20 décembre 2015

La bague

Six mois ont passé.
Je ne sais pourquoi la vie
a mis notre rencontre
au second plan.
Non, non, je ne proteste pas.
Un square dans sa verdure de mai.
Lestée de son récit,
ton fils m'a transmis
ta bague ornée d'une topaze.
Pas un gramme de mauvais goût :
ce trophée du passé
modérément précieux
est un signe de toi dans l'univers.

Bien qu'une éternité se soit
écoulée, tu m'es toujours proche,
blanche d'esprit
et aussi monarchiste.
Les vents du Léthé, tu t'en souviens,
fredonnaient pour nous
le chant des jours maudits
dans la citadelle de Vendée,
et semblaient pleurer
sur les ronces de mûres,

trop avares pour nous régaler
même de quelques baies.

Dans l'épaisseur du temps
à l'océan semblable,
née de la semence
d'un lit royal, peut-on dire,
son plongeon n'a pas
terni sa monture,
signe de foi, et non
simple ornement,
préservée de la vase
et du scaphandrier
qui ne saurait la prendre,
ta bague de topaze.

2016

Cet ouvrage
a été mis en page et achevé d'imprimer
en février 2018
par les Ateliers Graphiques de l'Ardoisière
à Bègles (France).

Dépôt légal : mars 2018
Imprimé en France